はじめての Canva

マネするだけでプロっぽくなる
デザインのルール

mikimiki web スクール

KADOKAWA

本書の特徴

- 基本のCanvaの使い方から、
デザインのコツやCanvaテクニックがわかる
- Canva Expertsである
mikimikiさん作成のデザインを紹介
- アレンジやバリエーションも豊富に掲載

- デザインのポイントをしっかり解説
- 使用されているテキストのフォントや配色を紹介

はじめに

「はじめてのCanva」を手に取っていただき、
ありがとうございます。

Canvaは、だれでもかんたんに使える
新しいデザインツールです。
数多くのテンプレートが用意されているので、
専門的な勉強をしたことがなくても、
オシャレなポスターやチラシ、Webサイトなどの
デザインをかんたんに作ることができます。
テンプレートを使わず、ゼロからデザインすることも
もちろん可能です。

「Canvaを使ってオリジナルデザインを作ってみたい、
　でも、デザイン経験がないし、
　どうすればいいデザインになるのか分からない」
とお悩みをよくいただきますが、
実は、「視線を集めるデザイン」には
さまざまな法則があります。
本書では、Canvaでデザイン作成をする人に向けて、
いろいろなテーマで作ったデザインを
ご紹介していきながら、デザインのポイントや
ちょっとしたテクニックなどを詳しく解説しています。
Canvaは直感で操作できる優れたツールなので、
あまり難しく考えず、思いのままに
デザインを楽しんでみてくださいね。

Canva Experts
mikimiki（扇田美紀）

CONTENTS

テーマ

第1章 「注目を集める」デザイン

● チラシ②イベント周知 —— 46

● 商品ポップ —— 58

第2章 テーマ

「見て楽しい」デザイン

● カード —— 74

● 結婚式の招待状 —— 86

● メニュー —— 100

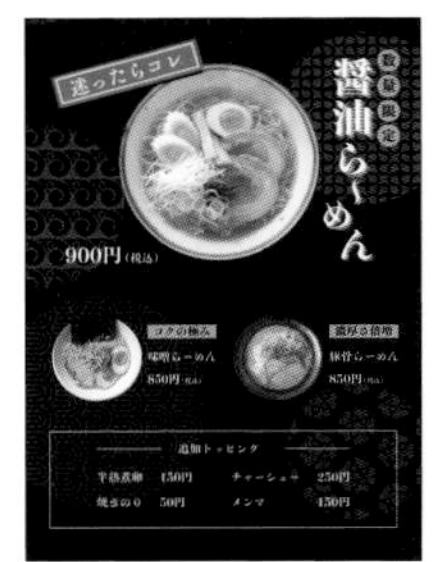

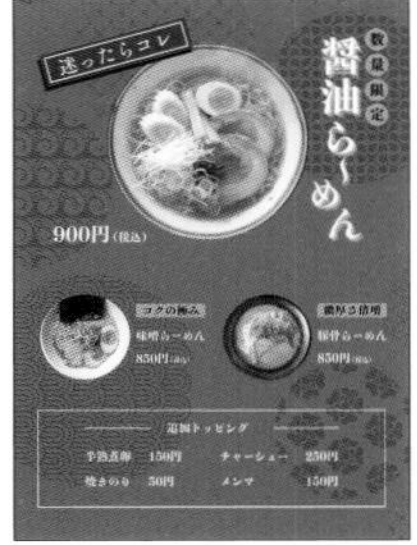

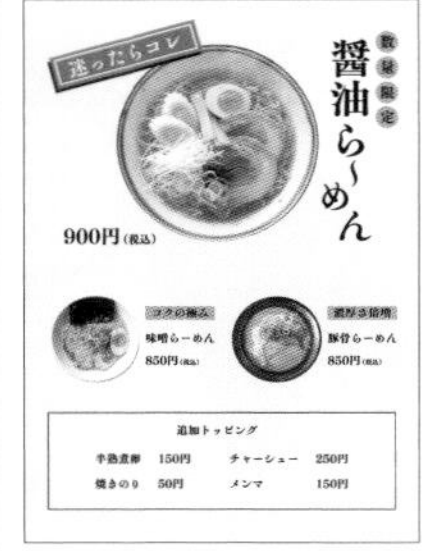

テーマ

第3章 「Webで使える」デザイン

● バナー —— 118

● SNS投稿 —— 130

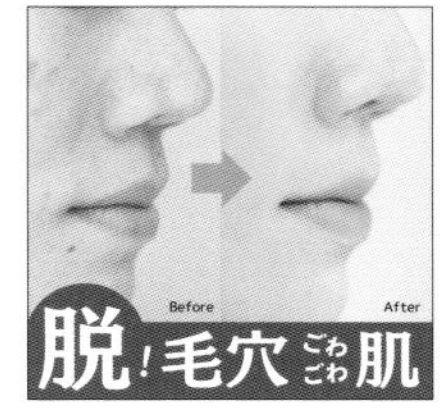
Before
After
脱！毛穴ごわごわ肌

美肌の秘密
THE SECRET OF BEAUTY SKIN
大公開

これ、買ってよかった
褒められ食器

週末に行きたいカフェ
WEEKEND CAFE TIME
渋谷
Shibuya

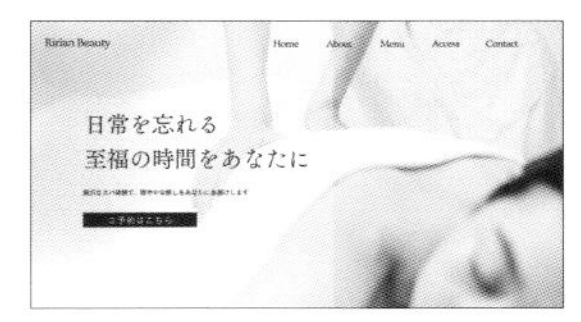
Ririan Beauty
Home About Menu Access Contact
日常を忘れる
至福の時間をあなたに

Ririan Beauty
Home About Menu Access Contact
日常を忘れる
至福の時間をあなたに

KOGA HOUSE
家族みんなにやさしい家づくり

Ririan Beauty
Home About Menu Access Contact
日常を忘れる
至福の時間をあなたに

Ririan Watch
時代を駆けぬける
Run through the times
軽量
防水
5color

Ririan Beauty
Home About Menu Access Contact
日常を忘れる
至福の時間をあなたに

Ririan Beauty
Home About Menu Access Contact
日常を忘れる
至福の時間をあなたに

Column

Canvaでできること

デザイナーでなくてもセンスのいいデザインが作れるツール！

① 目的に合わせたテンプレートや素材が豊富に用意されている

ジャンルごとに数多くのテンプレートが用意されています。Canva公式が作ったものもあれば、Canvaクリエイターがデザインしたものもあります。ルールを守れば、商用利用もOK！

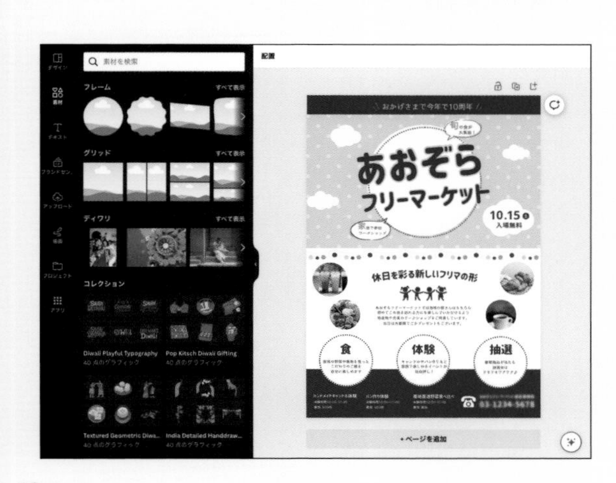

② 文字や画像、色を変えるだけでデザインができあがる

テンプレートをもとに、使いたい画像やテキストに差し替えて、好きな色に変えていくだけで、目的のデザインに仕上がります。

デザインに使えるイラストや写真がたくさんある

デザイン要素となるイラストや写真もたくさんあるので、組み合わせるだけでオリジナリティのあるデザインを作れます。もちろん、自分が撮影した写真などを入れ込むことも可能です。

④ クリックやドラッグで操作もかんたん！

操作はクリックやドラッグといったかんたんなものがほとんどなので、直感的にデザイン作業を進めることができます。

Canvaで作れるもの

Canvaでは、紙に印刷して使うものはもちろん、Webで使うようなデザインも作れます。目的に合ったテンプレートを使えば、デザインの知識がなくても、センスのいい仕上がりになります。

チラシ

お店のオープンやイベントの告知、その他さまざまなチラシが作れます。写真がメインのもの、イラストで見せるものなど、多くのテンプレートがそろっています。

ポスター

内容を広く周知するのに効果的な、ポスターも作れます。A1やA2といった大きなサイズのデザインもお手のもの。Canva上で印刷まで行うことも可能です。

レポート

ビジネスマンにも学生にも必須のレポート作成。Canva上のテンプレートを活用すれば、文字だけでなく、適度に画像などを入れて読みやすいものに仕上がります。

プレゼン資料

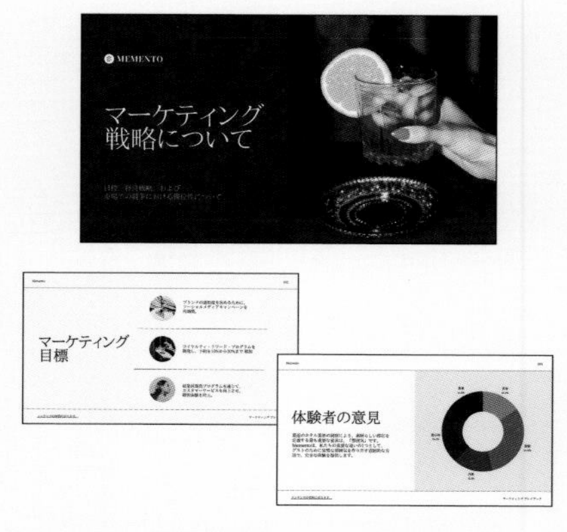

社内外の会議や授業で行う、プレゼンテーション用の資料やスライドを作ることができます。デザイン性の高いテンプレートを使えば、クオリティも高く伝わりやすい資料に。

カード

年賀状やクリスマスカードなどのポストカードだけでなく、ちょっとアレンジを加えたオリジナルカードも作れます。メッセージやお礼を伝えるものなどアイデア次第です。

名刺・ショップカード

個人的な名刺だけでなく、ショップカードのようなテンプレートも豊富にあります。テンプレートから、自分好みのものを見つけて、印象に残る名刺やショップカードを作成しましょう。

ロゴ

お店や会社のロゴのテンプレートもたくさんあります。デザインを参考にして、オリジナルのものが作れます。印刷物だけでなく、WebやSNSのアイコンなどに使うのもいいでしょう。Canvaで作ったロゴやアイコンの商標登録はできないのでご注意を。

SNS

Instagramの投稿やX、YouTubeのプロフィール画面に使えるバナーデザインも！
テンプレートを使えば、日々の投稿の手間を大きく省くことができます。「いいね！」がたくさんもらえるようなアカウントを目指しましょう。

ホームページ

ホームページのデザインもまるごと作れます。トップページだけでなく、メニューバーや詳細ページにも使えるパターンが一式揃ったテンプレートもあって、統一感のあるデザインに。

動画サムネイル

YouTubeなどの動画投稿にかかせないサムネイルも！　動画の内容を的確に伝えつつも、思わず見たくなるような、オシャレで目を引くテンプレートを探しましょう。

Canvaの基本操作

Canvaの操作はとてもかんたん！　自分の作りたいイメージに近いテンプレートを選び、文字や画像を差し替えたり、色を変えたりして「カスタマイズ」することでデザインを仕上げます。クリック、ドラッグ＆ドロップなどの基本的なパソコン操作ができれば、特別な知識や技術は必要ありません。

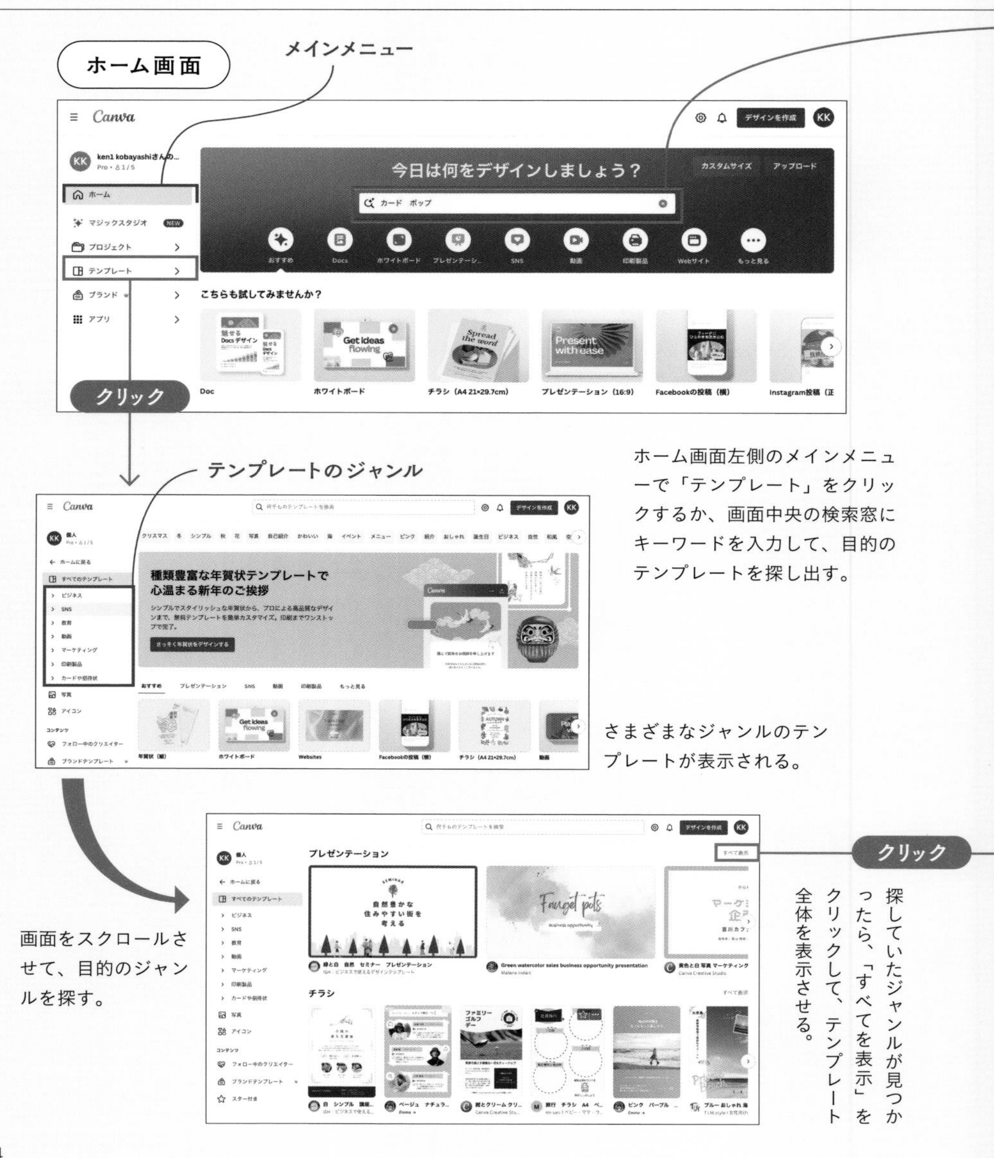

ホーム画面左側のメインメニューで「テンプレート」をクリックするか、画面中央の検索窓にキーワードを入力して、目的のテンプレートを探し出す。

さまざまなジャンルのテンプレートが表示される。

画面をスクロールさせて、目的のジャンルを探す。

探していたジャンルが見つかったら、「すべてを表示」をクリックして、テンプレート全体を表示させる。

探したいデザインのキーワードを入力して検索

ここでは「カード」と入力してテンプレートを検索。

好きなテンプレートを探してスクロール

画面をスクロールして、好みのテンプレートが見つかったらクリック。

テンプレートが気に入ったら、「このテンプレートをカスタマイズ」をクリックして、カスタマイズ（デザイン）をスタート。

カスタマイズがスタート

テキストのカスタマイズ

テキスト部分をクリックすると、テキストそのものを打ち替えたり、フォントを変更したり、カスタマイズができるようになります。

テキストのフォントを変える・打ち替える

大きさや色、太さ、揃えなどもここから変更できる。

テンプレートに入っているテキスト部分をクリックして選択し、そのままクリックし続けて動かせば、テキストの位置を移動できる。もう一度クリックすると、テキストそのものが選択されるので、DeleteかBack Spaceキーを押せば文字が削除される。

①テキストボックスを選択。ドラッグで移動したり向きを変えたり、フォントや色を変更できる。
②ダブルクリックでテキストが編集できる。
③フォント名をクリックするとフォントメニューが開き、フォント変更などができる。

新しいテキストを入れる

新しいテキストボックス

①画面左の「テキスト」をクリック。
②表示されるメニューの、「テキストボックスを追加」をクリックすると、デザイン画面中央に新しいテキストボックスが作られる。ここに文字を打てば、新しいテキストを入れられる。

画像の
カスタマイズ

画像をクリックすると、画像を変更したり、画像の明るさやコントラスト、色味を調整するなどの編集ができるようになります。

画像を変える

①画像部分をクリックして選択。
②画面左の「アップロード」をクリック。
③「ファイルをアップロード」をクリックすると、パソコンなどから画像を取り込むことができる。
④取り込んだ画像を差し替えたい画像にドラッグ&ドロップすれば、画像が入れ替わる。

画像を編集する

①画像をクリックして選択。
②「画像を編集」をクリックすると、画像の明るさやコントラストを調整したり、エフェクトをかけることができる。（写真のエフェクトについてはP.25を参照）

デザインの共有

デザインが完成したら、画面右上の「共有」をクリック。「ダウンロード」をクリックすれば、デザインを保存できる。

①クリック

②クリック

ダウンロードするファイル形式は、JPGやPNGなどの画像形式、PDF形式などを選択することが可能。

デザインの基礎知識

文字（テキスト）について

文字のことは「テキスト」と呼びます。具体的な情報を伝える役割を果たしますが、装飾することでデザイン要素としても使うことができます。

テキストは「フォント」と「サイズ」で指定する

テキストを入力するには、文字を打ち込んだうえで、フォント（書体）とサイズ（大きさ）を指定します。

フォント

文字の書体のことで、大きく分けて明朝系とゴシック系があります。また、日本語の和文フォントと英語などの欧文フォントに分けられます。

サイズ

文字の大きさのことで、一般的に単位は「ポイント」「級」などが使われますが、Canvaでは単に数値だけで設定します。

Canvaでは

フォントの種類

明朝体

文字の太さが一定でなく、うろこ（三角形の山）のあるフォントのこと。読みやすいので、本文などに使われます。

吾輩は猫である
名前はまだない

ゴシック体

文字の太さが一定なフォントのこと。目立つので、強調したい文字や見出しなどに使われます。細いゴシックは本文にも。

吾輩は猫である
名前はまだない

文章でのテキストの指定

テキストが何行にもわたって入る文章は、「文字間隔」と「行間隔」を設定できます。

文字間隔

文字と文字の横の間隔（横書きの場合）のこと。最初は「0」設定となっています。

吾輩は猫である
名前はまだない

行間隔

行と行の間隔のこと。適度な間隔にしておくと、行が多くても読みやすくなります。

Canvaでは

文字の「配置」

Canvaではテキストを「テキストボックス」の中に配置します。テキストボックスの中で、テキストをどのように配置するか設定できます。

左揃え（頭揃え）

テキストボックスの左（行頭）に揃える（横書きの場合）

吾輩は猫である
名前は
まだない

中央揃え

テキストボックスの中央に揃える

吾輩は猫である
名前は
まだない

右揃え（尻揃え）

テキストボックスの右（行末）に揃える（横書きの場合）

吾輩は猫である
名前は
まだない

Canvaでは

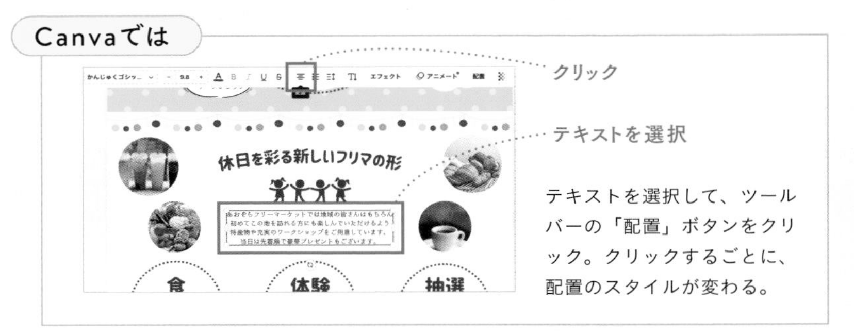

テキストを選択して、ツールバーの「配置」ボタンをクリック。クリックするごとに、配置のスタイルが変わる。

色（カラー）について

見た人の印象に大きく作用する役割を果たすので、どんなカラーを使うかは、デザインにおいて重要な要素となります。

色の三原色

「三原色」とは、あらゆるカラーの元となる色のことで、「光の三原色」と「色の三原色」があります。

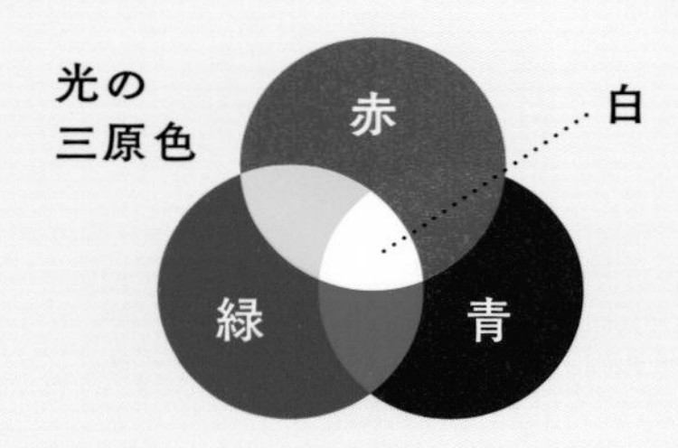

R（Red：赤)、G（Green：緑)、B（Blue：青）の3色で、すべてを混ぜ合わせると白になります。3つの色を使うと、ほぼすべての色が再現でき、テレビやカラーディスプレイには、この3原色が使用されています。

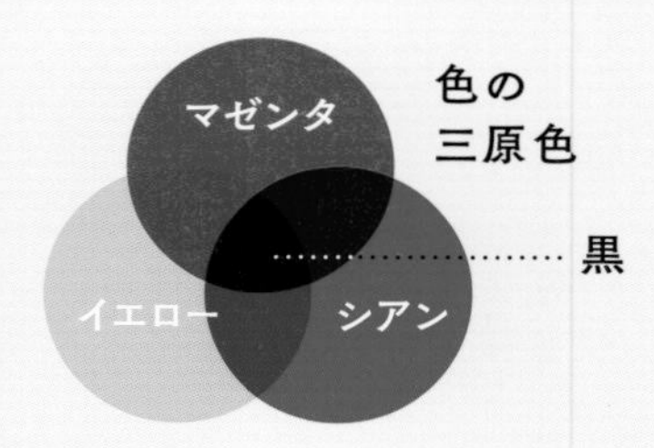

Y（Yellow：黄)、M（Magenta：赤)、C（Cyan：青）の3色で、すべてを混ぜ合わせると黒（K）になります。3つの色と混ぜ合わせた黒を使うと、ほぼすべての色が再現できて、カラー写真や印刷などに使用されています。

色の三属性

色を構成する要素には、3つの属性があります。これらの要素が多いか少ないかで、さまざまなカラーが表現されます。

色相

赤やオレンジ、黄色や青、緑など、色そのものを表すのが「色相」です。

明度

低（暗い）　高（明るい）

色の明るさの度合いを表すのが「明度」です。高ければ明るく、低ければ暗い色となります。

彩度

低（くすんだ）　高（鮮やか）

色の鮮やかさを示すのが「彩度」です。高ければ鮮やか、低ければくすんだ色になります。

カラーコードとは

カラーを指定する6ケタの英数字のことです。これはコンピュータで使われる16進法を使ったもので、パソコンなどで色を指定する際に使われます。

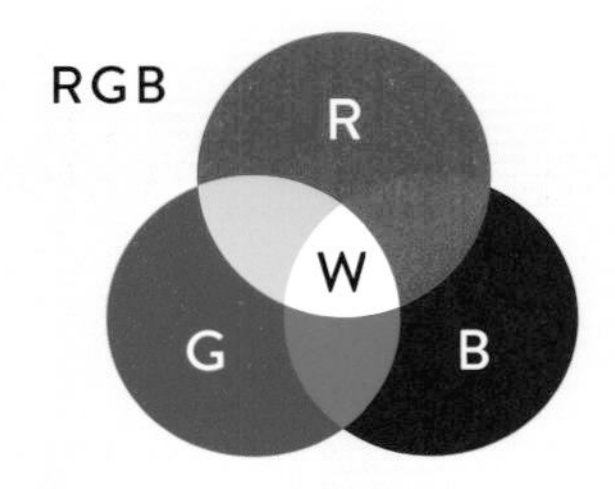

RGBとは「光の三原色」のことで、それぞれを0から255までの数値で表しています。3つすべてを255にすると白、0にすると黒となります。

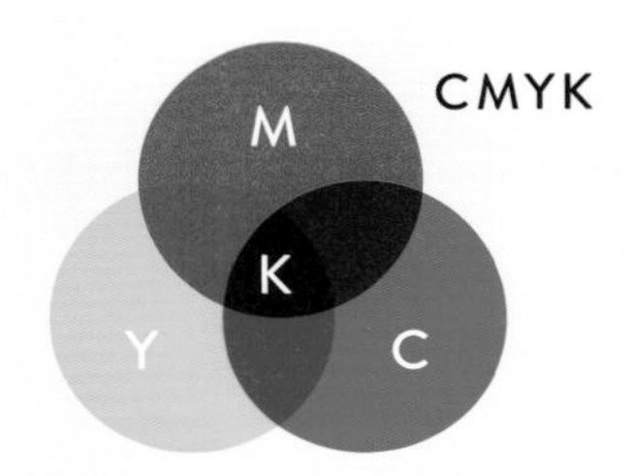

CMYKとは「色の三原色」のことで、3色を混ぜ合わせた黒を加えています。それぞれを0から100までの数値で表しています。

本書では

R 255
G 026
B 067

C 000
M 093
Y 063
K 000

#1493c2

R 037
G 193
B 249

C 067
M 006
Y 002
K 000

Canvaで使用するカラーコードとCMYK、RGBの参考数値を掲載しています。

テキストを選択

Canvaでは

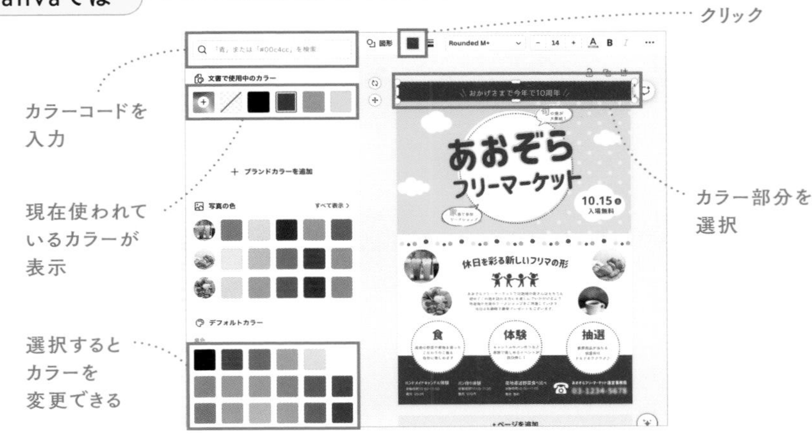

カラー部分をクリックして選択。ツールバーのカラーが表示されている部分をクリック。画面左にカラーのメニューが表示されるので、そこから選ぶとカラーを変えられます。

色の種類

普段なにげなく見ている色ですが、いくつかの種類に分けることができます。色の特性を知っておくことで、デザインでどのような色を使うと効果的なのかが理解できます。

カラーホイール

赤や黄、青、緑など、基本的な色を円にして表したもので、「色相環」ともいわれます。

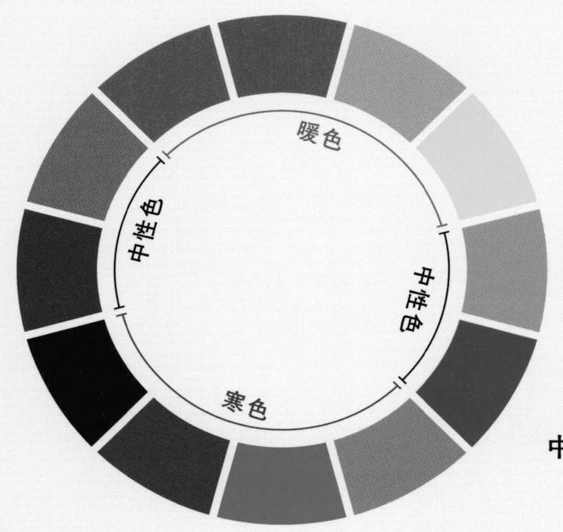

隣同士に並んでいるのが「類似色」、対角線上に位置しているのが「補色」です。類似色は馴染みやすく、補色はインパクトのある配色になります。

暖色

赤、オレンジ、黄などの温かみを感じる色のこと。前に飛び出してくるような、目立つ色でもあります。

寒色

青、紺などの冷たさを感じる色のこと。奥まって見えるような、あまり目立たない色でもあります。

中性色

黄緑や紫など、温度を感じない色のこと。あまり主張しないので、他の色と対立しない色でもあります。

明色と暗色

色の三属性（P.20）で紹介した明度が高い色を明色、低い色を暗色といいます。

明色

明るい色なので、軽く、やわらかい印象になる。

暗色

暗い色なので、重く、かたい印象になる

清色と濁色

清色はクリアで透明感のある色、濁色はグレイが混ざった濁った色のことです。

清色

純粋な色の表現で、美しい印象になる。

濁色

濁った色になるので、くすんだ印象になる。

色のイメージ

それぞれの色には、見た人に与える一般的なイメージがあります。それを理解しておくと、デザインで使ったときにどんな印象になるのかをコントロールできます。

赤

イメージ → **活動的、 情熱的、 闘争心、 禁止など**

とても目立つので、危険や注意喚起に使われることもあります。アクティブな印象を与える色で、気持ちを前向きにさせるとして、勝負のときに身に着けるという人もいます。

ピンク

イメージ → **かわいらしさ、 やさしさ、 春、 恋愛など**

濃いピンクは色気などをイメージさせる一方、薄いピンクは柔和で穏やかな印象となります。日本では桜の色や女の子が好むかわいらしい色と認識されています。

オレンジ

イメージ → **元気、 カジュアル、 温かさ、 明るさなど**

活力がありつつ親しみやすさもあり、人を呼び込むような目立つ色です。視認性が高いので、企業などのブランドカラーになったり、救命胴衣などにも採用されています。

黄

イメージ → **明るさ、 軽快さ、 嫉妬、 注意など**

軽やかなイメージとともに、明るく目立つため、注意や人の目を引くために多く使われています。キャラクターなどにも採用され、親しまれる色でもあります。

青

イメージ → **清潔、 冷たい、 誠実、 憂鬱など**

明るい青は爽やかで、若さなどを想起させます。一方で、寒色なので冷たさや涼しさなども感じさせます。紺色などの濃い青は、安定、保守的なイメージがあります。

紫

イメージ → **上品、 神秘的、 高貴、 あやしさなど**

日本古来のイメージは厳粛で品が良いものですが、派手な紫は逆に妖艶で下品な捉え方もされます。近年は、警報の最上級として赤より上の危険度を示す際にも使われています。

緑

イメージ → **平和、 自然、 信頼、 調和など**

ナチュラルカラーとしていろいろな場面で使われます。デザインのベースカラーとしても人気です。深い緑は信頼感を生むとして、ブランドカラーにも多く採用されています。

黒

イメージ → **高級、 重厚、 正式、 悪など**

使われ方で良くも悪くもイメージを変えられる色です。正装などでも使われる色なのでシンプルで品と格式を保ちますが、使いすぎると色味がなく、デザイン効果が期待できません。

白

イメージ → **清潔、 軽さ、 純粋、 無色など**

色がないことと同じ意味を持つ場合もありますが、ベースとなる色であり、他の色とうまく組み合わせて使うと効果があります。濃い色の中で使うと、視認性が高まります。

画像について

デザインのなかで、写真やイラストのことを総称して「画像」と呼びます。情報を伝えるだけでなく、デザインの雰囲気や人目を引くための役割を果たします。

写真で人目を引く

写真が持っている力は大きく、多くの人の注目を集めることができます。デザインのベースにすることもできるし、伝えたいものを写真で紹介することもできます。

写っているものでの分類

静物 風景や物体などの動きのないものを指します。

風景

物

風景ならデザインの背景にしたり、物であればデザイン要素の一部としても使えます。

動体 人や動物、クルマなどの動いているものを指します。

人物

特に人物の「目」は、見る人の視線を集める効果があります。

形式での分類

角版（かくはん）

四角い形の枠の写真で、一般的に背景があるもののこと。丸い枠であれば「丸版」と呼ぶ。

切り抜き

写っているものの形どおりに切り抜いた画像のこと。デザインの自由度があがったり、動きを出す効果がある。

写真のさまざまな編集ができる

Canvaには、写真の色味や明るさを調整する機能があります。さらに、Pro（有料版）には、多彩な「エフェクト」が備わっています。背景を削除したり逆に引き伸ばしたり、写真の一部を消し去ったりできます。上手に使えば、より自由な表現が可能です。

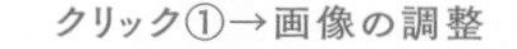

編集したい写真をクリックして選択し、「写真を編集」をクリック。画面左に表示される「エフェクト」や「調整」をクリックすると編集できる。

画像の調整

写真を選択して「調整」をクリックすると、写真の明るさやコントラスト、ハイライト部分の調整ができる。

エフェクト「マジック拡張」

写真を選択して「写真を編集」をクリック。「エフェクト」のなかから「マジック拡張」を選択する。指定した範囲まで、もとの写真を引き伸ばしてくれる。

エフェクト「マジック消しゴム」

写真を選択して「写真を編集」をクリック。「エフェクト」のなかから「マジック消しゴム」を選択する。写真の中の指定した部分を消し去ってくれる。

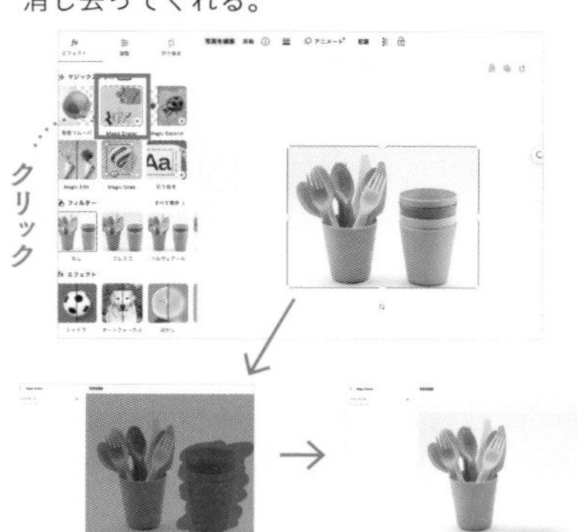

消したい部分を「ブラシ」でなぞって指定する。

自動的に消去してくれる。

エフェクト「背景除去」

写真を選択して「写真を編集」をクリック。「エフェクト」のなかから「背景除去」を選択する。写真の背景を削除して、切り抜き画像を作成してくれる。

知っておきたいデザイン知識

デザイン4原則

デザインの役目は、情報を正しくわかりやすく伝えることです。そこには一定の原則があるので、それを理解することで、質の高いデザインを短時間で作ることができます。

強弱

メリハリをつける

もっとも伝えたい部分を大きくしている

重要なものや伝えたいものは大きく、それ以外は小さくするなどして、情報にコントラストをつけることで、理解しやすくする。

整列

きれいに並べる

見えない線に沿って並べている

情報はバラバラに並んでいると読みにくく、理解に時間がかかってしまうので、見えない線に沿わせるなどして配置する。

反復

繰り返して一貫性を持たせる

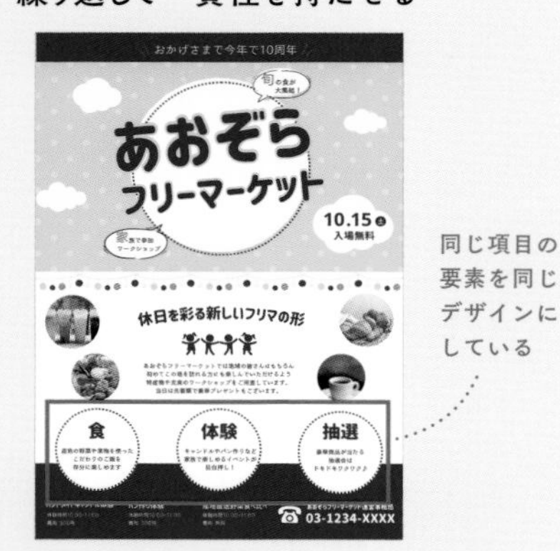

同じ項目の要素を同じデザインにしている

同じデザインを繰り返すことで、それが同じ種類の情報だと認識させる。繰り返すことで、統一感を生むこともできる。

近接

情報を近づけて関連性を作る

関連のある情報を近くに配置している

人は近くにあるものは関係があるものと認識するので、関連性のあるものを近くに配置することで情報を整理する。

デザイン基本ツール

デザインするときに使うツール（考え方）がいくつかあります。4原則を実践する際にも使えるものなので、デザインの基本として理解しておきましょう。

フレーム

絵の額縁のように、デザインの縁に余白を作っておく。あまりに端っこに情報を入れると読みにくい。逆に、あえて端に配置するというデザインもある。

グリッド

見えない格子状の線を意識して情報を配置すると、読みやすく、見た目にもきれいなデザインを作ることができる。

対称

要素を対象になるように配置することで、印象的なデザインになる。デザインの美しさを追求する手段でもある。

配色比率

デザインのなかで、どんな色をどんなふうに使っていけばいいのかについての法則があります。これに従うと、見やすいデザインに仕上がるとされています。

「70：25：5」の法則

色をどの割合で使うかの法則。全体の70％ほどは主張の弱いベースカラーとし、その同系色のメインカラーは25％、そして強い色のアクセントカラーは5％程度にとどめて使います。

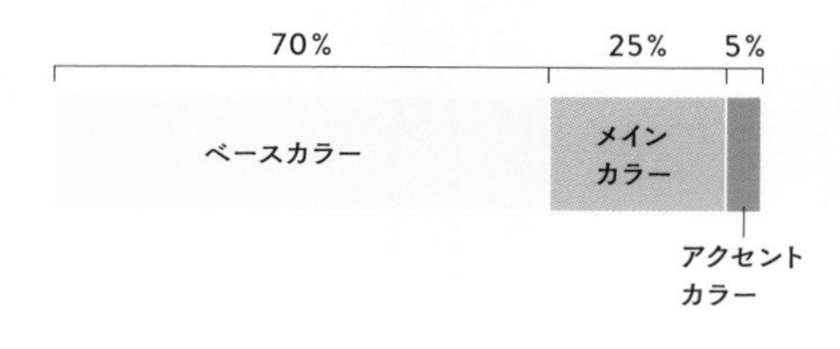

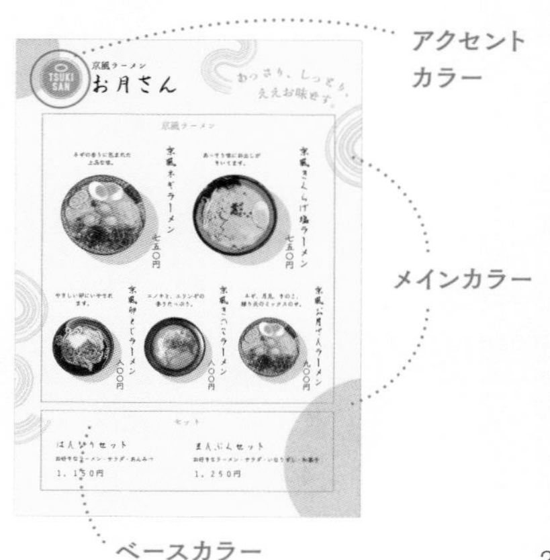

本書の見方

本書は3章構成で、それぞれ3つのジャンルのデザインを6見開きの基本フォーマットで紹介しています。1見開き目で2つのデザインを掲載していますので、まずはそのどちらがいいかを考えてみましょう。2見開き目でその答え合わせ、3見開き目でOKデザインの解説をしています。その後は、アレンジやバリエーションも紹介していますので、参考にしてみてください。

1 見開き目　2つのデザインのうち いいと思う方を選んでみよう

A案とB案のどちらのデザインがいいと思うか、自分なりに考えてみましょう。

2
見開き目

OKデザインと
NGデザインの
ポイントを紹介

1見開き目の答えです。OKデザインとNGデザインのそれぞれのポイントを見て、自分の考えと照らし合わせてみましょう。

3
見開き目

OKデザインの
使用フォントや
カラーを解説

デザインで使用している
フォント／太さの種類、見本

デザインのポイント

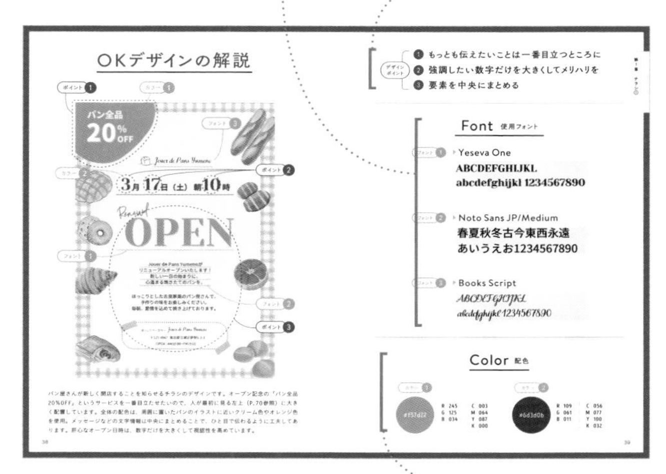

デザインで使用
しているカラー

OKデザインのポイントの解説や、使われているフォントや配色（写真の配色もあります）などの詳細を紹介しています。

4
見開き目

OKデザインのアレンジを紹介

アレンジデザイン：
チラシ① ショップ宣伝［パン屋さん］

パンの写真をチラシ全体の背景にしています。「OPEN」という文字が目立つようにゴシック系のフォントを使い、目にとまりやすいように「O」の文字だけ色を変えています。また「パン全品20%OFF」の文字も、「20」だけ大きくしてフォントを変更。また、情報を絞って余白を作ることで、伝えたいことがしっかりと見ている人に届くようにしてあります。

アレンジポイント
1. 文字の色を変えてメリハリをつける
2. 目立たせたい部分の色とフォントを変えてサイズも大きく
3. 情報を絞って余白をつくる

Font 使用フォント

フォント1 M+ /Heavy
ABCDEFGHIJKL
abcdefghijkl 1234567890

フォント2 筑紫C見出ミン
春夏秋冬古今東西永遠
あいうえお1234567890

フォント3 モトヤ明朝w /Bold
春夏秋冬古今東西永遠
あいうえお1234567890

Color 配色

カラー1 #f57d22 R 245 G 125 B 034 / C 003 M 064 Y 087 K 000

カラー2 #6d3419 R 109 G 052 B 025 / C 054 M 083 Y 100 K 034

40 41

OKデザインと同様の素材を使ったアレンジデザインを紹介しています。使用フォントやカラーなども解説。

5
見開き目

バリエーションデザインを紹介

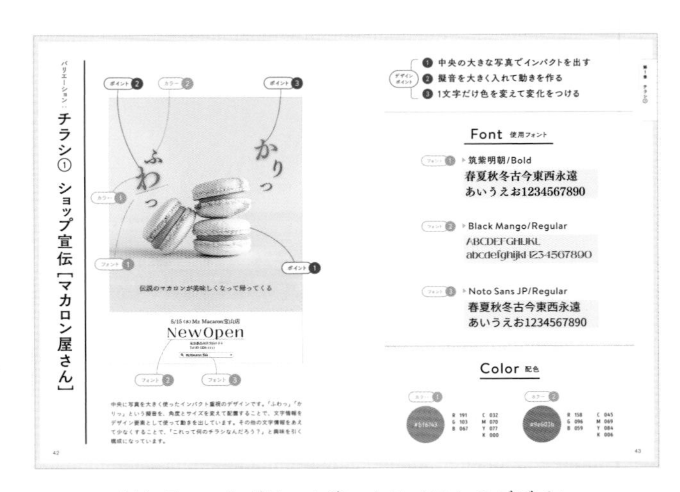
バリエーション：
チラシ① ショップ宣伝［マカロン屋さん］

中央に写真を大きく使ったインパクト重視のデザインです。「ふわっ」「かりっ」という擬音を、角度とサイズを変えて配置することで、文字情報をデザイン要素として使って動きを出しています。その他の文字情報をあえて少なくすることで、「これって何のチラシなんだろう？」と興味を引く構成になっています。

デザインポイント
1. 中央の大きな写真でインパクトを出す
2. 擬音を大きく入れて動きを作る
3. 1文字だけ色を変えて変化をつける

Font 使用フォント

フォント1 筑紫明朝/Bold
春夏秋冬古今東西永遠
あいうえお1234567890

フォント2 Black Mango/Regular
ABCDEFGHIJKL
abcdefghijkl 1234567890

フォント3 Noto Sans JP/Regular
春夏秋冬古今東西永遠
あいうえお1234567890

Color 配色

カラー1 #bf6743 R 191 G 103 B 067 / C 032 M 070 Y 077 K 000

カラー2 #9e603b R 158 G 096 B 059 / C 045 M 069 Y 084 K 006

42 43

似たテーマやガラッと違ったテイストのデザインなども紹介しています。表現次第で異なるデザインができることが学べます。

見開き目

さらにアレンジやバリエーションなどを紹介

前のページで紹介したデザインのカラー違いなどのアレンジや、別なデザインをさらに紹介しています。

注意事項

・本書のデザインの作例はすべてCanva（https://www.canva.com/）を使用して作成し、作例に使用しているフォントや、写真などの素材はすべてCanva無料または Proで提供されているものです（2024年2月現在）。Canvaの詳細や最新の情報はWebサイトでご確認ください。
・Canvaで作成したデザインを活用する場合は、Canvaの利用規約等をよく読み、利用規約の範囲内で活用しましょう。
・本書のデザインの作例のイベント名、商品名、名前、住所、電話番号、URL等はすべて架空のもので実在しておりません。
・本書で紹介しているカラーコード、CMYK、RGBはすべて参考値です。お使いの環境や印刷方法、印刷に使用する用紙や素材、モニターなどによって見え方が異なりますことを予めご了承ください。
・本書の内容の運用によって、いかなる損害が生じても著作者及び株式会社KADOKAWAのいずれも一切の責任を負いかねます。
・すべてのデザインの著作権は著者にあり、本書の一部またはすべてを無断で複写、複製、改変、再頒布することなどは禁じられています。

第1章

テーマ

「注目を集める」デザイン

この章では、多くの人の目にとまり、注目を集められるようなデザインを紹介します。ジャンルはパン屋さんのオープンを告知するチラシやフリーマーケット開催を知らせるチラシ、ショップでおすすめ商品を紹介するポップなどです。目立つためのデザインのコツを解説します。

ショップ宣伝［パン屋さん］

チラシ①

→P.34

チラシ②

イベント周知「フリーマーケット」

→P.46

商品ポップ

→P.58

Question

チラシ① ショップ宣伝［パン屋さん］ **どっちの**

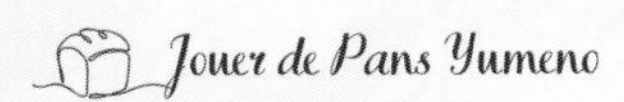

3月17日（土）朝10時

Renewal
OPEN

Jouer de Pans Yumenoが
リニューアルオープンいたします！
新しい一日の始まりに、
心温まる焼きたてのパンを。

ほっこりとした古民家風のパン屋さんで、
手作りの味をお楽しみください。
毎朝、愛情を込めて焼き上げております。

ほっこりベーカリー Jouer de Pans Yumeno
〒123-4567 東京都江東区夢野1-2-3
OPEN : AM10:00~PM19:00

デザインがいい？

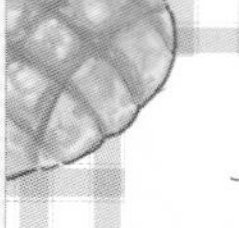

Jouer de Pans Yumeno

3月17日(土)朝10時

Renewal

OPEN

パン全品20%OFF

Jouer de Pans Yumenoが
リニューアルオープンいたします！
新しい一日の始まりに、
心温まる焼きたてのパンを。

ほっこりとした古民家風のパン屋さんで、
手作りの味をお楽しみください。
毎朝、愛情を込めて焼き上げております。

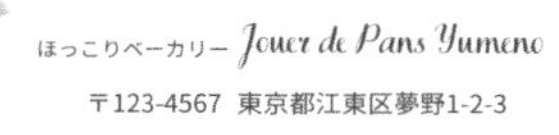

B案

○ OKデザイン

OKポイント

もっとも伝えたいことは一番目立つところに

OKポイント

強調したい数字だけを大きくしてメリハリを

OKポイント

要素を中央にまとめる

A案

NGデザイン

NGポイント

伝えたいことが
小さく、目立たない

NGポイント

文字と数字が同じ大きさでメリハリがなく
情報が目に入ってこない

NGポイント

要素がバラバラに
配置されていて
視線が定まらない

B案

OKデザインの解説

パン屋さんが新しく開店することを知らせるチラシのデザインです。オープン記念の「パン全品20%OFF」というサービスを一番目立たせたいので、人が最初に見る左上（P.70参照）に大きく配置しています。全体の配色は、周囲に置いたパンのイラストに近いクリーム色やオレンジ色を使用。メッセージなどの文字情報は中央にまとめることで、ひと目で伝わるように工夫してあります。肝心なオープン日時は、数字だけを大きくして視認性を高めています。

1. もっとも伝えたいことは一番目立つところに
2. 強調したい数字だけを大きくしてメリハリを
3. 要素を中央にまとめる

Font 使用フォント

フォント 1 ▶ Yeseva One

ABCDEFGHIJKL
abcdefghijkl 1234567890

フォント 2 ▶ Noto Sans JP/Medium

春夏秋冬古今東西永遠
あいうえお1234567890

フォント 3 ▶ Books Script

ABCDEFGHIJKL
abcdefghijkl 1234567890

Color 配色

カラー 1

R	245	C	003
G	125	M	064
B	034	Y	087
		K	000

カラー 2

R	109	C	056
G	061	M	077
B	011	Y	100
		K	032

アレンジデザイン：チラシ① ショップ宣伝［パン屋さん］

パンの写真をチラシ全体の背景にしています。「OPEN」という文字が目立つようにゴシック系のフォントを使い、目にとまりやすいように「O」の文字だけ色を変えています。また「パン全品20%OFF」の文字も、「20」だけ大きくしてフォントを変更。また、情報を絞って余白を作ることで、伝えたいことがしっかりと見ている人に届くようにしてあります。

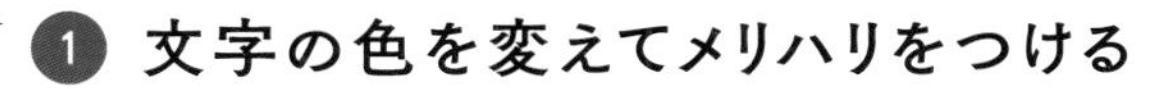

1. 文字の色を変えてメリハリをつける
2. 目立たせたい部分の色とフォントを変えてサイズも大きく
3. 情報を絞って余白をつくる

Font 使用フォント

フォント 1 ▶ M+ /Heavy

ABCDEFGHIJKL
abcdefghijkl 1234567890

フォント 2 ▶ 筑紫C見出ミン

春夏秋冬古今東西永遠
あいうえお1234567890

フォント 3 ▶ モトヤ明朝w /Bold

春夏秋冬古今東西永遠
あいうえお1234567890

Color 配色

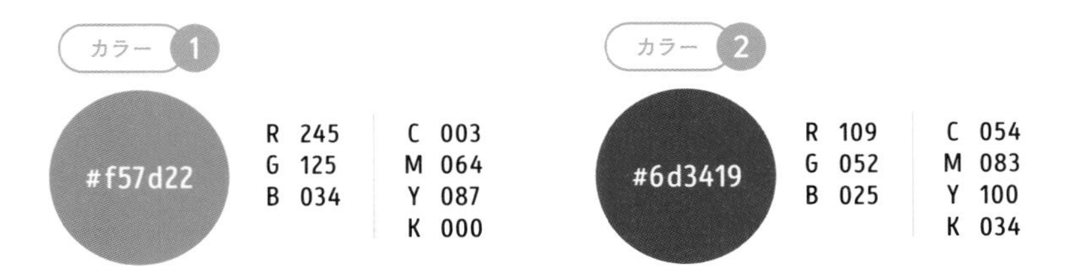

カラー 1

#f57d22

R 245
G 125
B 034

C 003
M 064
Y 087
K 000

カラー 2

#6d3419

R 109
G 052
B 025

C 054
M 083
Y 100
K 034

バリエーション：

チラシ① ショップ宣伝［マカロン屋さん］

中央に写真を大きく使ったインパクト重視のデザインです。「ふわっ」「かりっ」という擬音を、角度とサイズを変えて配置することで、文字情報をデザイン要素として使って動きを出しています。その他の文字情報をあえて少なくすることで、「これって何のチラシなんだろう？」と興味を引く構成になっています。

1. 中央の大きな写真でインパクトを出す
2. 擬音を大きく入れて動きを作る
3. 1文字だけ色を変えて変化をつける

Font 使用フォント

▶ 筑紫明朝/Bold

春夏秋冬古今東西永遠
あいうえお1234567890

▶ Black Mango/Regular

ABCDEFGHIJKL
abcdefghijkl 1234567890

▶ Noto Sans JP/Regular

春夏秋冬古今東西永遠
あいうえお1234567890

Color 配色

R 191
G 103
B 067

C 032
M 070
Y 077
K 000

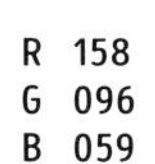

R 158
G 096
B 059

C 045
M 069
Y 084
K 006

フォント&配色 組み合わせ例

Font

フォント 1 ▶ Anton

ABCDEFGHIJKL
abcdefghijkl 1234567890

フォント 2 ▶ ロゴたいぷゴシック

春夏秋冬古今東西永遠
あいうえお1234567890

フォント 3 ▶ Themysion

ABCDEFGHIJKL
abcdefghijkl 1234567890

インパクトを強くしたいときは、赤色ベースでデザインすると効果的です。英字はゴシック系のフォントがGOOD！

Color

カラー 1

#c83c0d

R 200
G 060
B 013

C 027
M 089
Y 100
K 000

カラー 2

#6d3d0b

R 109
G 061
B 011

C 056
M 077
Y 100
K 032

Font

フォント 1 ▶ Clicker Script

ABCDEFGHIJKL
abcdefghijkl 1234567890

フォント 2 ▶ Book Script

ABCDEFGHIJKL
abcdefghijkl 1234567890

フォント 3 ▶ 筑紫B明朝/Bold

春夏秋冬古今東西永遠
あいうえお1234567890

シックに仕上げたいときは、黒色ベースでまとめるといいでしょう。英字はフォント①などデザイン性のあるスクリプト体を選ぶと〇。

Color

カラー 1

#000000

R 000
G 000
B 000

C 093
M 088
Y 089
K 080

Font

フォント 1 ▶ Dream Avenue

ABCDEFGHIJKL
abcdefghijkl 1234567890

フォント 2 ▶ ほのかアンティーク丸

春夏秋冬古今東西永遠
あいうえお1234567890

フォント 3 ▶ Book Script

ABCDEFGHIJKL
abcdefghijkl 1234567890

Color

カラー 1

#db1a1a

R 219
G 026
B 026

C 017
M 097
Y 098
K 000

カラー 2

#0e0c76

R 014
G 012
B 118

C 100
M 100
Y 052
K 002

赤と青の配色にして、フランスの国旗をイメージ。フレンチテイストに合わせたおしゃれな英字フォントがよく合います。

Font

フォント 1 ▶ Handy Casual

ABCDEFGHIJKL
abcdefghijkl 1234567890

フォント 2 ▶ Active Heart 甘い気分

春夏秋冬古今東西永遠
あいうえお1234567890

フォント 3 ▶ Book Script

ABCDEFGHIJKL
abcdefghijkl 1234567890

Color

カラー 1

#ffde59

R 255
G 222
B 089

C 005
M 016
Y 071
K 000

カラー 2

#494848

R 073
G 072
B 072

C 075
M 069
Y 065
K 027

配色をグレー＆イエローの組み合わせにして、都会的なイメージを持ったデザインに。英字は縦長の「Handy Casual」を採用。

Question

チラシ② イベント周知［フリーマーケット］

どっちの

A案

デザインがいい？

おかげさまで今年で10周年
旬の食が大集結！
あおぞら
フリーマーケット
10.15 土
入場無料
家族で参加
ワークショップ
休日を彩る新しいフリマの形
あおぞらフリーマーケットでは地域の皆さんはもちろん
初めてこの地を訪れる方にも楽しんでいただけるよう
特産物や充実のワークショップをご用意しています。
当日は先着順で豪華プレゼントもございます。
産地の野菜や果物を使った
こだわりのご飯を
存分に楽しめます
キャンドルやパン作りなど
家族で楽しめるイベントが
目白押し！
豪華商品が当たる
抽選会は
ドキドキワクワク♪
ハンドメイドキャンドル
体験
体験時間10:00~11:00
費用 500円
パン作り体験
体験時間10:00~11:00
費用 500円
産地直送野菜食べ比べ
体験時間10:00~11:00
費用 無料
あおぞらフリーマーケット運営事務局
03-1234-XXXX

B案

○ OKデザイン

OKポイント

見出しと本文のフォントを変えてメリハリをつける

OKポイント

青と黄の補色でインパクトを出す ピンクはアクセントに

OKポイント

丸囲みを並べて情報を整理

A案

✕ NGデザイン

NGポイント

強い色がまんべんなく使われていて視線が定まらない。

NGポイント

フォントが細くて目立たない

NGポイント

見出しがなくてわかりづらい

B案

OKデザインの解説

メインの配色を青と黄色という補色の関係にある2色に絞ることで、写真の色味などが活きるデザインに。そこにアクセントカラーとして少しだけピンクを使っています。文字情報は、見出しと本文をしっかりと作り、フォントを変えてメリハリを出しています。また、並列する情報は、同じ丸囲みの中に入れて、見る人が理解しやすいような工夫を加えています。

デザインポイント

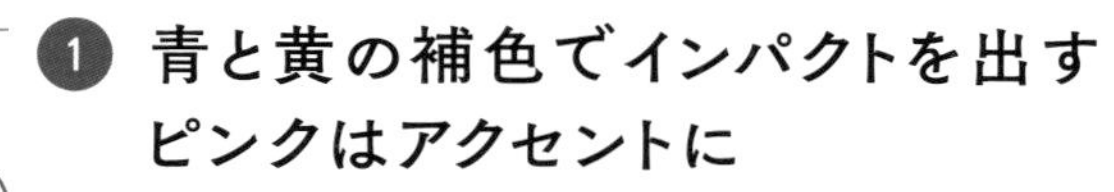

1. 青と黄の補色でインパクトを出す
   ピンクはアクセントに
2. 見出しと本文のフォントを変えてメリハリをつける
3. 丸囲みを並べて情報を整理する

Font 使用フォント

フォント 1 ▶ コーポレート・ロゴ丸

春夏秋冬古今東西永遠
あいうえお1234567890

フォント 2 ▶ かんじゅくゴシック

春夏秋冬古今東西永遠
あいうえお1234567890

フォント 3 ▶ Noto Sans/Bold

春夏秋冬古今東西永遠
あいうえお1234567890

Color 配色

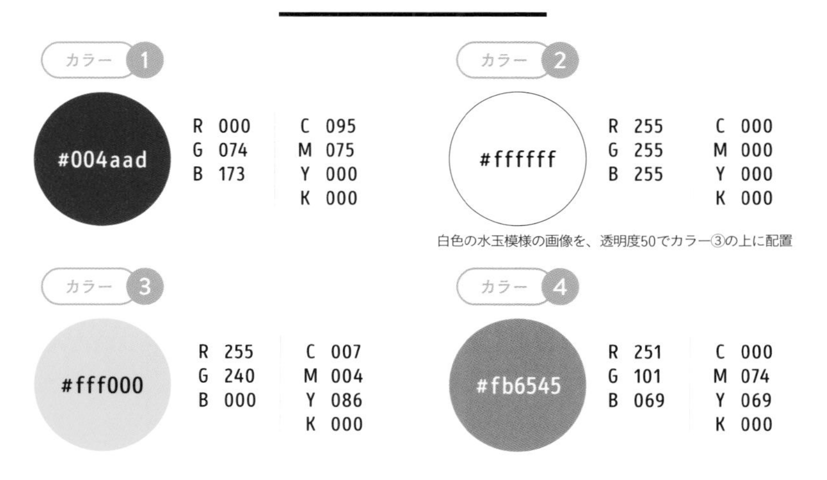

アレンジデザイン：チラシ② イベント周知［フリーマーケット］

OKデザインと使っている色も要素もほぼ同じですが、青と黄色の使う部分を逆にしたアレンジデザイン。配色は同じなので、相性は問題なし。「あおぞらフリーマーケット」というイベント名の背景が青になったことでより「青空」っぽさがアップ。文字情報は白背景＋黄色だと読みにくくなってしまうので、読みやすさを重視した色にしています。「あおぞら」のフォントも少しシャープな書体に変えてみたことで、違った雰囲気に。

1. OKデザインとは逆の配色で違ったイメージに
2. 「あおぞら」に合った青系のメインカラー
3. タイトル文字の書体を変えてシャープな印象に

Font 使用フォント

フォント① ▶M＋/ExtraBold

春夏秋冬古今東西永遠
あいうえお1234567890

フォント② ▶かんじゅくゴシック

春夏秋冬古今東西永遠
あいうえお1234567890

Color 配色

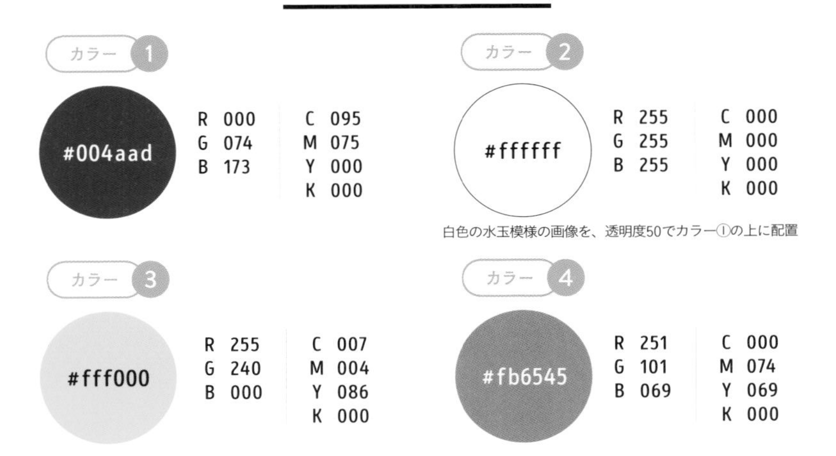

バリエーション：

チラシ② イベント周知［フリーマーケット］

「森公園」で開催されるということで、緑をベースにしたデザインに。同じ緑でも濃い緑と薄い緑を使い分けて、見やすくも落ち着いた配色になっています。イベント名を唯一、タテ書き＆緑の反対色の赤にすることで、タイトルをしっかり目立たせています。濃い緑色の背景に文字情報を入れるときは、白抜きにして文字を読みやすくしています。

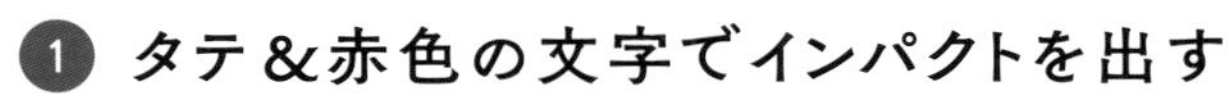

1. タテ＆赤色の文字でインパクトを出す
2. 緑と赤という補色を使ってメリハリをつける
3. 同系色の緑を使い分けて
落ち着きのあるデザインに

Font 使用フォント

フォント 1 ▶ けいふぉんと

春夏秋冬古今東西永遠
あいうえお1234567890

フォント 2 ▶ ロダンEB

春夏秋冬古今東西永遠
あいうえお1234567890

Color 配色

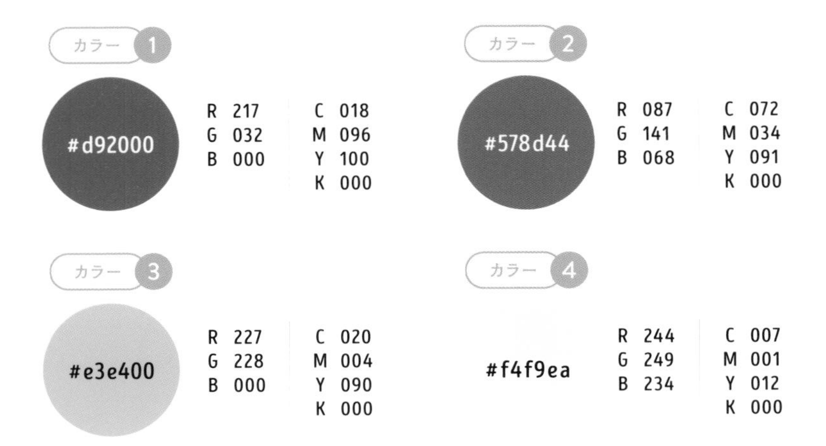

フォント＆配色 組み合わせ例

青系の濃淡の配色でまとめたアレンジ。同系色でトーンを合わせると統一感が出ます。

Color

		RGB	CMYK
カラー 1	#004aad	R 000 G 074 B 173	C 095 M 075 Y 000 K 000
カラー 2	#76b5ff	R 118 G 181 B 255	C 055 M 022 Y 000 K 000
カラー 3	#ffffff	R 255 G 255 B 255	C 000 M 000 Y 000 K 000
カラー 4	#ff914d	R 255 G 145 B 077	C 000 M 056 Y 069 K 000

白色の水玉模様の画像を、透明度50でカラー②の上に配置

Font　使用フォントは共通

フォント 1 ▶ ラノベPOP

春夏秋冬古今東西永遠
あいうえお1234567890

フォント 2 ▶ かんじゅくゴシック

春夏秋冬古今東西永遠
あいうえお1234567890

フォント 3 ▶ Noto Sans/Bold

ABCDEFGHIJKL
abcdefghijkl 1234567890

ハロウィーンカラーを意識した配色で、秋の季節感を出した配色です。

Color

		RGB	CMYK
カラー 1	#5c0099	R 092 G 000 B 153	C 081 M 100 Y 001 K 000
カラー 2	#fcc022	R 252 G 192 B 034	C 005 M 031 Y 086 K 000
カラー 3	#ffffff	R 255 G 255 B 255	C 000 M 000 Y 000 K 000
カラー 4	#ff914d	R 255 G 145 B 077	C 000 M 056 Y 069 K 000

白色の水玉模様の画像を、透明度50でカラー②の上に配置

ベースカラーをピンクに。インパクトカラーもビビッドなピンクで合わせています。

Font

フォント 1 ▶ ロダンカトレアUB

春夏秋冬古今東西永遠
あいうえお1234567890

フォント 2 ▶ Noto Sans JP/Black

春夏秋冬古今東西永遠
あいうえお1234567890

Color

		RGB	CMYK
カラー 1	#d92000	R 217 G 032 B 000	C 018 M 096 Y 100 K 000
カラー 2	#de4097	R 222 G 064 B 151	C 017 M 085 Y 004 K 000
カラー 3	#ffe2e0	R 255 G 226 B 224	C 000 M 018 Y 009 K 000

Font

フォント 1 ▶ Dela Gothic One

春夏秋冬古今東西永遠
あいうえお1234567890

フォント 2 ▶ Noto Sans JP/Black

春夏秋冬古今東西永遠
あいうえお1234567890

Color

		RGB	CMYK
カラー 1	#d92000	R 217 G 032 B 000	C 018 M 096 Y 100 K 000
カラー 2	#578d44	R 087 G 141 B 068	C 072 M 034 Y 091 K 000
カラー 3	#feffd0	R 254 G 255 B 208	C 004 M 000 Y 026 K 000
カラー 4	#e3e400	R 227 G 228 B 000	C 020 M 004 Y 090 K 000

ベースカラーを薄いイエローに。グリーンとも好相性で落ち着いた印象。

Question 商品ポップ

どっちの

A案

デザインがいい？

B案

○ OKデザイン

OKポイント
目につきやすい明るめの配色でインパクトを出す

OKポイント
一文字だけ大きくし、傾けて躍動感を出す

OKポイント
フォントは太字ゴシックが目立つ

A案

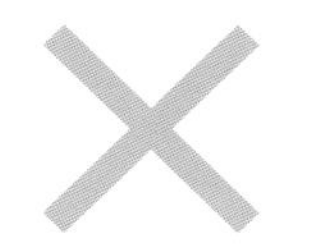

NGデザイン

NGポイント
くすんだ配色で
インパクトがない

NGポイント
文字サイズに規則性がなく
バラバラ

NGポイント
目立ちにくい
明朝体が
使われている

B案

OKデザインの解説

「お買得商品」に注目してもらうための商品ポップのデザインです。目立つことが最優先なので、放射状にライトが照射されたような黄色の背景に、ショッキングピンクの文字という目にとまりやすい配色に。また、「得」という一文字を大きくし、傾けることで視線を集めるような工夫をしています。太いゴシックのフォントを選び、さらには黒で縁取りすることで、さらにインパクトをつけています。

1. 目につきやすい明るい配色でインパクトを出す
2. 1文字だけ傾けて大きくし、躍動感を出す
3. フォントは太字ゴシックが目立つ

Font 使用フォント

▶ チェックポイント

春夏秋冬古今東西永遠
あいうえお1234567890

フォント 2

▶ やんちゃポップ

春夏秋冬古今東西永遠
あいうえお1234567890

Color 配色

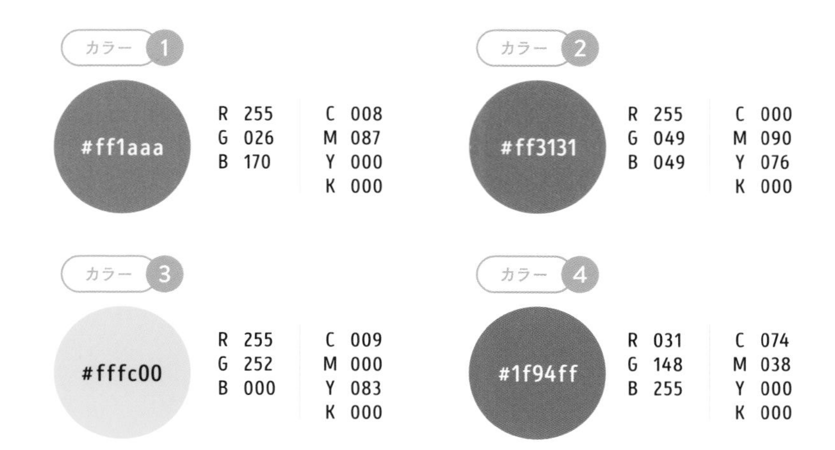

「値下げしました！」という会話調の文字に合わせて、吹き出し風のデザインに。さらに、ポップでよく使われる指差しアイコンを使って、目線を誘導しています。

Font
使用フォント

フォント 1 ▶ やんちゃポップ

春夏秋冬古今東西永遠
あいうえお1234567890

Color 配色

カラー 1

#fffc00

R	255	C	009
G	252	M	000
B	000	Y	083
		K	000

カラー 2

#ff3131

R	255	C	000
G	049	M	090
B	049	Y	076
		K	000

ポップの内容に合わせてスマホのアイコンで、見た人のイメージを誘います。このアイコンは背景が透明なので、下に色を敷くことで、ハートをピンク色に（詳しくはP.113参照）。余白を作ることで、視認性を高めています。

Font 使用フォント

フォント 1 ▶ にくまる

春夏秋冬古今東西永遠
あいうえお1234567890

Color 配色

カラー 1

	RGB	CMYK
#fffc00	R 255 G 252 B 000	C 009 M 000 Y 083 K 000

カラー 2

	RGB	CMYK
#1f94ff	R 031 G 148 B 255	C 074 M 038 Y 000 K 000

カラー 3

	RGB	CMYK
#ff1aaa	R 255 G 026 B 170	C 008 M 087 Y 000 K 000

バリエーション：

商品ポップ

和風居酒屋を想定したデザインです。「和」のテイストにするために、フォントも手書き風のものを選んでいます。文字のサイズに強弱をつけることで、どちらも目に入りやすくなる効果があります。

Font

使用フォント

フォント 1 ▶ 桜鯰フォント

春夏秋冬古今東西永遠
あいうえお1234567890

Color 配色

カラー 1

#b53440

R	181	C	036
G	052	M	092
B	064	Y	074
		K	002

カラー 2

#ff5050

R	255	C	000
G	080	M	082
B	080	Y	059
		K	000

オシャレなテイストに仕上げたい場合は、くすみカラーを使うとGOOD。筆記体風のフォントも、デザインのセンスアップに効果的です。文字の書体とサイズを変えて、メリハリをつけています。

Font 使用フォント

フォント 1 ▶ Brittany

ABCDEFGHIJKL
abcdefghijkl 1234567890

フォント 2 ▶ 花園明朝

春夏秋冬古今東西永遠
あいうえお1234567890

Color 配色

カラー 1

#ebf0e0

R	235	C	011
G	240	M	004
B	224	Y	016
		K	000

カラー 2

#363c47

R	054	C	082
G	060	M	075
B	071	Y	062
		K	031

フォント＆配色 組み合わせ例

背景の黒色のスペースを大きくすると、色文字が浮き立つ効果があります。1文字だけ色を変えることで、インパクトを。

Font

フォント 1 ▶ ロダンEB

春夏秋冬古今東西永遠
あいうえお1234567890

フォント 2 ▶ やんちゃポップ

春夏秋冬古今東西永遠
あいうえお1234567890

Color

		RGB	CMYK
カラー 1	#fffc00	R 255 / G 252 / B 000	C 009 / M 000 / Y 083 / K 000
カラー 2	#ff1aaa	R 255 / G 026 / B 170	C 008 / M 087 / Y 000 / K 000
カラー 3	#1cff69	R 028 / G 255 / B 105	C 059 / M 000 / Y 078 / K 000
カラー 4	#ff3131	R 255 / G 049 / B 049	C 000 / M 090 / Y 076 / K 000

商品ポップバリエーションデザインの色を逆に。目立たせたい「値下げ」のみに色をつけることで、より強調させる効果をアップ。

Font

フォント 1 ▶ 源石ゴシックH

春夏秋冬古今東西永遠
あいうえお1234567890

フォント 2 ▶ やんちゃポップ

春夏秋冬古今東西永遠
あいうえお1234567890

Color

		RGB	CMYK
カラー 1	#ff3131	R 255 / G 049 / B 049	C 000 / M 090 / Y 076 / K 000
カラー 2	#fffc00	R 255 / G 252 / B 000	C 009 / M 000 / Y 083 / K 000

想定しているSNSのアイコンカラーを背景色に使い、連想させる効果を狙います。グラデーションの背景にすることで、オシャレに！

Font

▶ Tazugane Gothic/XBlack

春夏秋冬古今東西永遠
あいうえお1234567890

Color

		RGB	CMYK
カラー1	#fffc00	R 255 G 252 B 000	C 009 M 000 Y 083 K 000
カラー2	#ff5757	R 255 G 087 B 087	C 000 M 079 Y 056 K 000
カラー3	#ff914d	R 255 G 145 B 077	C 000 M 056 Y 069 K 000
カラー4	#ff1aaa	R 255 G 026 B 170	C 008 M 087 Y 000 K 000

〈線グラデーション90°〉

		RGB	CMYK			RGB	CMYK
カラー5	#ff5757	R 255 G 087 B 087	C 000 M 079 Y 056 K 000	→	#8c52ff	R 140 G 082 B 255	C 070 M 071 Y 000 K 000

手書き風フォントと活字系フォントで、デザインのイメージが変わります。しっかり文字を見せたい場合は、太めのゴシックなどが○。

Font

フォント1 ▶ Brittany

ABCDEFGHIJKL
abcdefghijkl 1234567890

フォント2 ▶ 花園明朝

春夏秋冬古今東西永遠
あいうえお1234567890

フォント3 ▶ モトヤアポロ

春夏秋冬古今東西永遠
あいうえお1234567890

Color

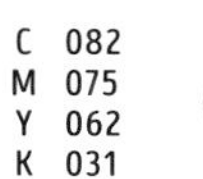

		RGB	CMYK
カラー1	#363c47	R 054 G 060 B 071	C 082 M 075 Y 062 K 031
カラー2	#826b5a	R 130 G 107 B 090	C 057 M 059 Y 064 K 005

Column | デザイン テクニック

視線の動きを理解しよう

グーテンベルク・ダイヤグラム

活版印刷を発明したヨハネス・グーテンベルクの名前がつけられた「グーテンベルク・ダイヤグラム」というのは、印刷物や画面などに対して、人の視線がどのように動くのかを表したものです。

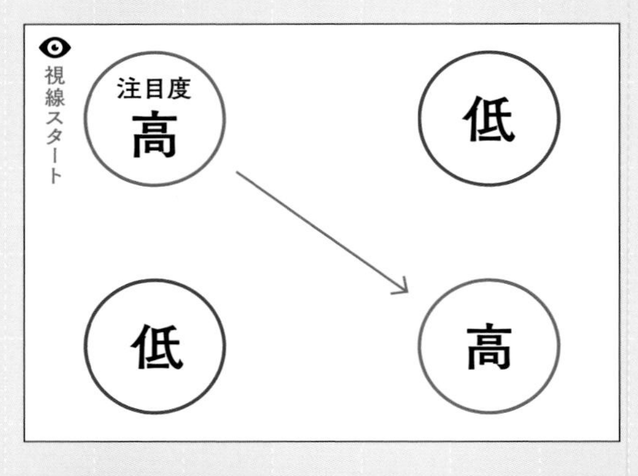

人は、視線を左上からスタートさせ、右下に向かって動かし、右下でとめるといわれています。一方で、右上や左下にはあまり視線がとまらず、注目度は低くなります。これをデザインに活用していくと、見る人の視線を誘導して、効果的に情報を伝えることができます。

本書でも、グーテンベルク・ダイヤグラムを活用して、左上と右下に伝えたい情報を配置したデザインを紹介しています。（P.38、132、136参照）

視線誘導の法則

文字や画像などの配置の仕方で、見る人の視線を誘導することができます。基本的な法則を紹介します。

Zの法則

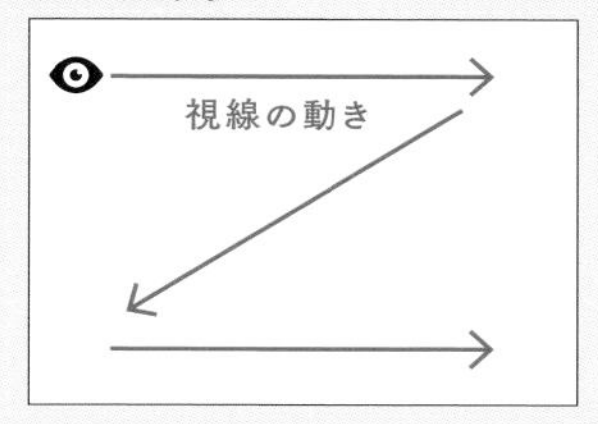

横書きの文章を読むように、見る人の視線をZ字状に誘導します。左上からスタートした視線をそのまま横に動かし、次の文頭に移るように左下に誘導。最後は右下でとまります。要素が少ないデザインでも活用できる法則です。

Fの法則

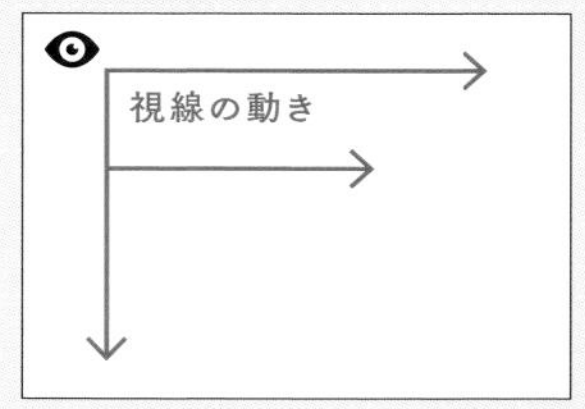

見出しなどを一番上に並べて視線を横に誘導するとともに、下方向にも要素を配置して階層状に並べていきます。視線はF字状に動いていきます。見出しを入れられるので、比較的情報量の多いデザインで使える法則です。

大→小・太→細の法則

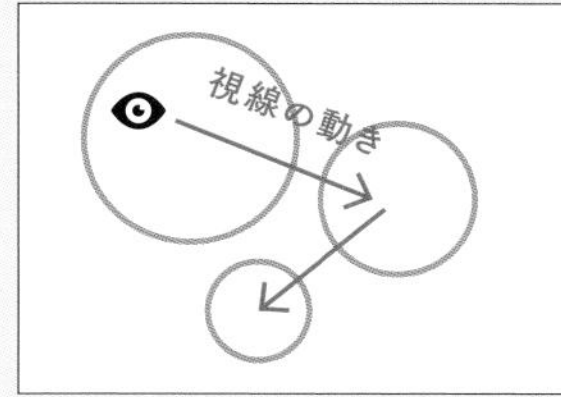

視線は、最初にデザインのなかの一番大きいものをとらえ、次に中くらいのもの、最後に小さいものへと移動します。これを利用して、もっとも伝えたいものを一番大きくして、優先度が下がるごとに小さくしていきます。

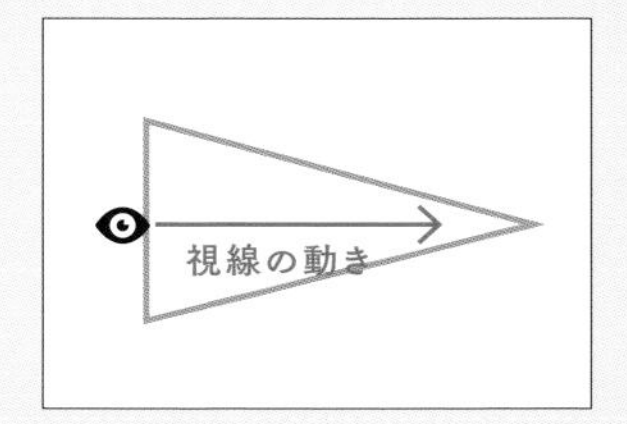

人は、デザインのなかで太いものから細いものへ視線を移していきます。文字のフォントでも、もっとも伝えたいものに太いものを使い、補足的な情報や文字量の多い文章などは、細いフォントを使うと見やすくなります。

同色同形の法則

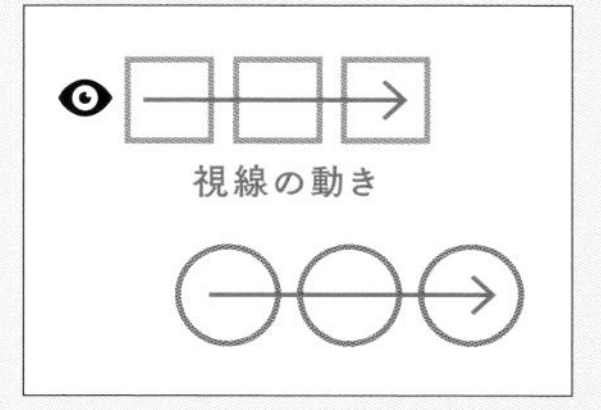

同じ色や同じ形のものに対し、人はそれらをグループ化して認識します。つまり、並列する情報やまとめて理解してほしい内容については、色や形を揃えておくと、見る人に伝わりやすくなります。

第2章

テーマ

「見て楽しい」デザイン

この章では、デザインが果たす役割だけでなく、見た人が楽しくなるようなデザインを紹介します。ジャンルはクリスマスカードなどのカード類、結婚式の招待状、レストランやラーメン屋さんのメニューなど。楽しさを演出しつつ、まとまりのあるデザインのテクニックを紹介していきます。

カード

→P.74

→P.86

メニュー

→P.100

どっちの

A案

デザインがいい？

B案

OKデザイン

OKポイント
素材感を統一する

OKポイント
クリスマスカラーを使う

OKポイント
タイプのちがうフォントを組み合わせる

A案

✕ NGデザイン

NGポイント

上の画像は実写風、下の画像は手描き風と素材感がちがってチグハグ

NGポイント

クリスマスに関係のない配色

NGポイント

同じようなフォントで単調

B案

OKデザインの解説

全体の素材感を統一するのが最大のポイントです。もみの木やオーナメント、プレゼントボックスなどさまざまなイラストを使っていますが、テイストの合ったものを組み合わせないと、チグハグな印象になってしまいます。ベースはクリスマスカラーの赤と緑で構成し、文字はベースの邪魔になりにくい白抜きに。「Christmas」のみ筆記体風のスクリプト系書体でオシャレ感を演出しています。

デザインポイント

1. 素材感を統一する
2. クリスマスカラーを使う
3. タイプのちがうフォントを組み合わせる

Font 使用フォント

フォント 1 ▶ Moontime

ABCDEFGHIJKL
abcdefghijkl 1234567890

フォント 2 ▶ Solway/Regular

ABCDEFGHIJKL
abcdefghijkl 1234567890

フォント 3 ▶ 乙女みんちょう

春夏秋冬古今東西永遠
あいうえお1234567890

Color 配色

カラー 1

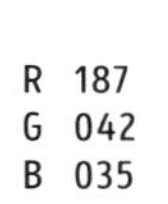

R 187
G 042
B 035

C 034
M 096
Y 099
K 001

R 045
G 103
B 048

C 084
M 050
Y 100
K 014

アレンジデザイン：カード ［クリスマス］

「MERRY CHRISTMAS」の文字の色と大きさを変えて、配置もあえてランダムに並べることで「楽しさ」を演出。ただし、色はクリスマスカラーにしておくことで、全体のまとまり感を作っています。人の視線は一般的に左上から右下に流れていくので、最後にたどり着く場所に、文字の「楽しい」テイストに合わせたポップめなサンタクロースのイラストを入れてみました。

1. 文字の色とサイズを変えることで楽しい雰囲気を演出
2. 思い切って余白を作る
3. 視線がとまる右下にイラストを配置

Font 使用フォント

フォント 1 ▶ WEDGES

ABCDEFGHIJKL
ABCDEFGHIJKL 1234567890

フォント 2 ▶ Gaegu/Bold

ABCDEFGHIJKL
abcdefghijkl 1234567890

Color 配色

カラー 1

R	003	C	089
G	102	M	049
B	048	Y	100
		K	014

カラー 2

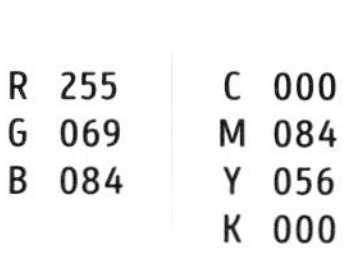

R	255	C	000
G	069	M	084
B	084	Y	056
		K	000

カラー 3

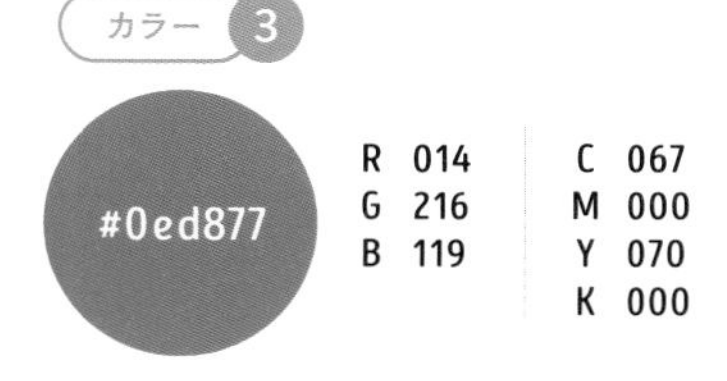

R	014	C	067
G	216	M	000
B	119	Y	070
		K	000

バリエーション：名刺

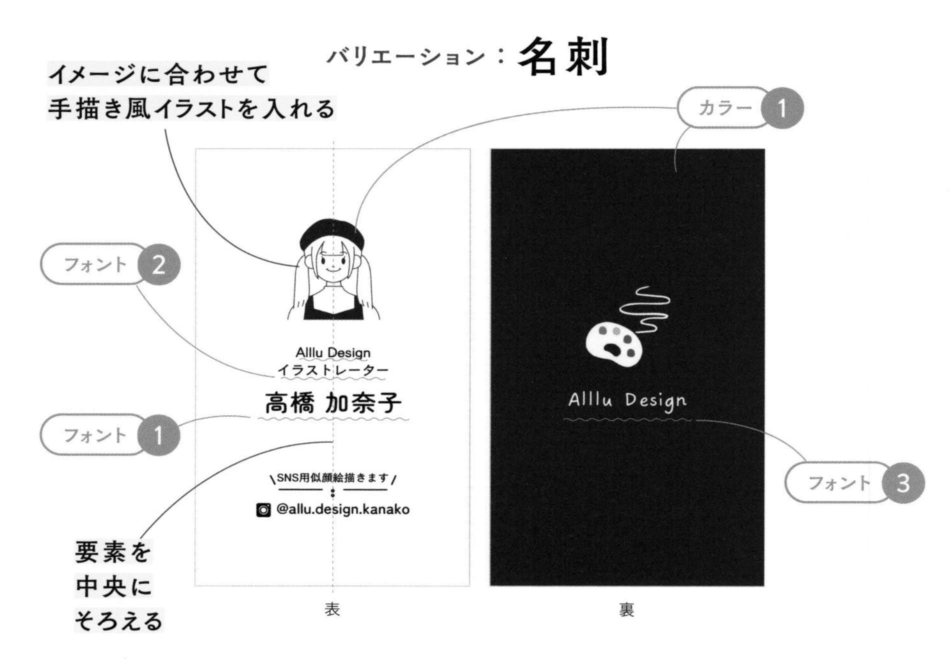

名刺も、カードとはサイズがちがうだけで、デザインのポイントは似ています。要素はすべて中央に揃え、メインの名前は一番大きく。表面は白い背景にして、文字を読みやすく配置。イラストで相手への印象強さをアップさせています。裏面は逆に色背景にして、文字とイラストを白抜きで表現しています。

Font 使用フォント

フォント 1 ▶ Zen Maru Gothic/Medium

春夏秋冬古今東西永遠
あいうえお1234567890

フォント 2 ▶ セザンヌ/Medium

春夏秋冬古今東西永遠
あいうえお1234567890

フォント 3 ▶ Dreaming Outloud Sans A

ABCDEFGHIJKL
abcdefghijkl 1234567890

Color 配色

カラー 1

#354a6d

R	053	C	087
G	074	M	076
B	109	Y	045
		K	007

バリエーション：子どものバースデーカード

小さな子どもにも視認性が高いといわれる明るく鮮やかな原色系の色を複数使い、全体的にポップに仕上げました。フォントもかわいくポップなものを選択。写真や文字を右上がりのライン上に配置し、視線を誘導しています。

Font 使用フォント

フォント 1 ▶ Cherry Bomb One

ABCDEFGHIJKL
abcdefghijkl 1234567890

フォント 2 ▶ Zen Maru Gothic/Bold

春夏秋冬古今東西永遠
あいうえお1234567890

Color 配色

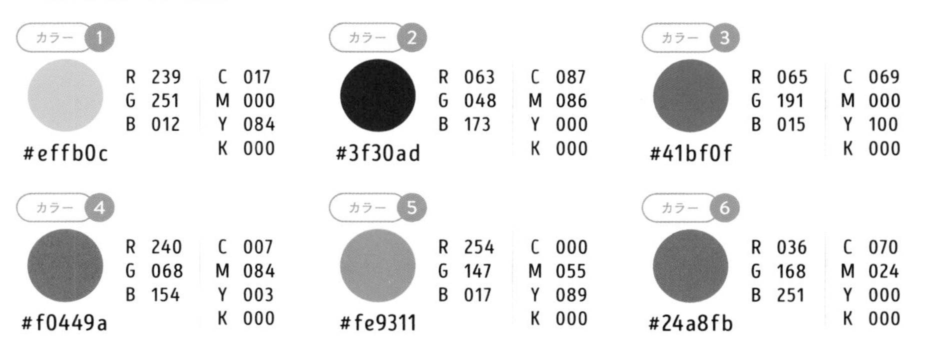

	R	G	B	C	M	Y	K	Hex
カラー 1	239	251	012	017	000	084	000	#effb0c
カラー 2	063	048	173	087	086	000	000	#3f30ad
カラー 3	065	191	015	069	000	100	000	#41bf0f
カラー 4	240	068	154	007	084	003	000	#f0449a
カラー 5	254	147	017	000	055	089	000	#fe9311
カラー 6	036	168	251	070	024	000	000	#24a8fb

バリエーション：年賀状

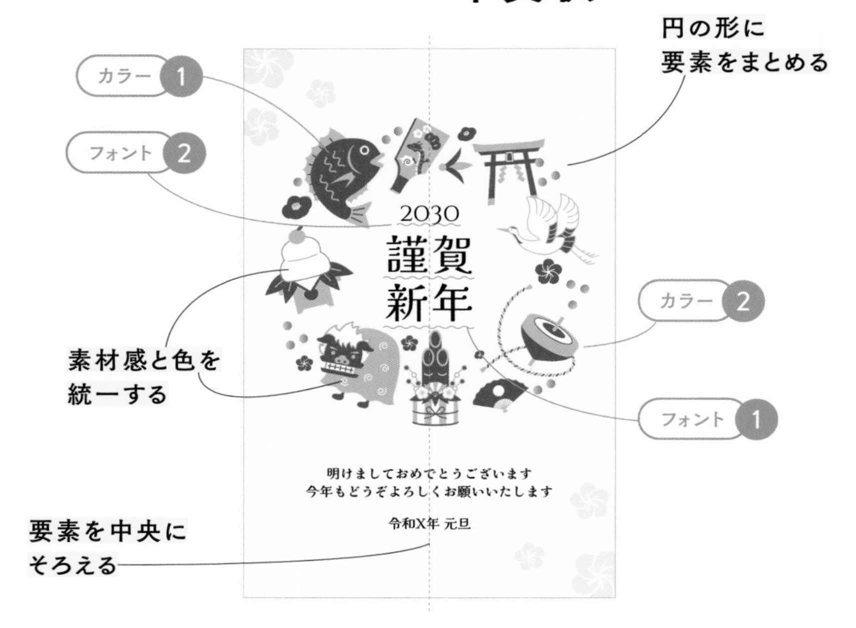

干支は使わず、お正月らしくおめでたいもののイラストで作った年賀状です。イラストを円の形に丸く収めることで、やわらかいイメージを演出しています。配色で、レトロっぽさも出ています。

Font
使用フォント

フォント 1 ▶ Kaisei Tokumin/Regular

春夏秋冬古今東西永遠
あいうえお1234567890

フォント 2 ▶ CINZEL DECORATIVE/REGULAR

ABCDEFGHIJKL
ABCDEFGHIJKL 1234567890

Color 配色（画像）

カラー 1

#c4270e

R	196
G	039
B	014

C	030
M	095
Y	100
K	000

カラー 2

#ffbe2e

R	255
G	190
B	046

C	002
M	033
Y	083
K	000

バリエーション：サンキューカード

感謝の気持ちを伝えるために手書き風のフォントを選び、中央に1番大きく目立つように配置。文字要素は中心に集め、人の視線が動く始点である左上と終点の右下に、ボタニカルなフレームを配置しました。

Font 使用フォント

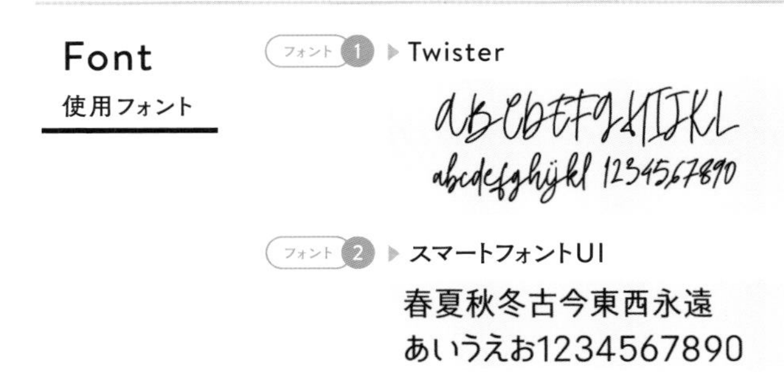

Color 配色（画像）

カラー 1

#253f31

R 037	C 084
G 063	M 065
B 049	Y 082
	K 042

カラー 2

#fbf7f0

R 251	C 002
G 247	M 004
B 240	Y 007
	K 000

Question

結婚式の招待状 # どっちの

Together with their families

Arata
&
Mayumi

2030.4.13(SAT)
挙式　午後2時~

誠に勝手ながら2月10日迄に
ご返信いただければ幸いに存じます

A案

デザインがいい？

Together with their families

Arata

&

Mayumi

2030.4.13(SAT)

挙式　午後2時～

場所

サースウェディングホテル

東京都港区1-2-3

03-1234-XXXX

皆様にはますますご清祥のことと

お慶び申し上げます

私たちは20XX年9月15日に入籍いたしました

ご多用のところ誠に恐縮ではございますが

二人のために励ましをいただきたいと存じます

ご来臨の栄を賜りたく心よりご案内申し上げます

誠に勝手ながら2月10日迄に

ご返信いただければ幸いに存じます

2030年10月吉日

田中 新

佐藤 まゆみ

B案

○ OKデザイン

OKポイント
対角線上にフレームを入れてデザインをまとめる

Together with their families

Arata
&
Mayumi

2030.4.13(SAT)
挙式　午後2時~

誠に勝手ながら2月10日迄に
ご返信いただければ幸いに存じます

OKポイント
思い切って余白を作る

OKポイント
必要最低限の情報で構成する

A案

✕ NGデザイン

NGポイント
余白がなく
圧迫感のある印象に

NGポイント
太いフォントで
おしゃれ感がダウン

NGポイント
情報を詰め込みすぎて
招待状にふさわしくない

B案

OKデザインの解説

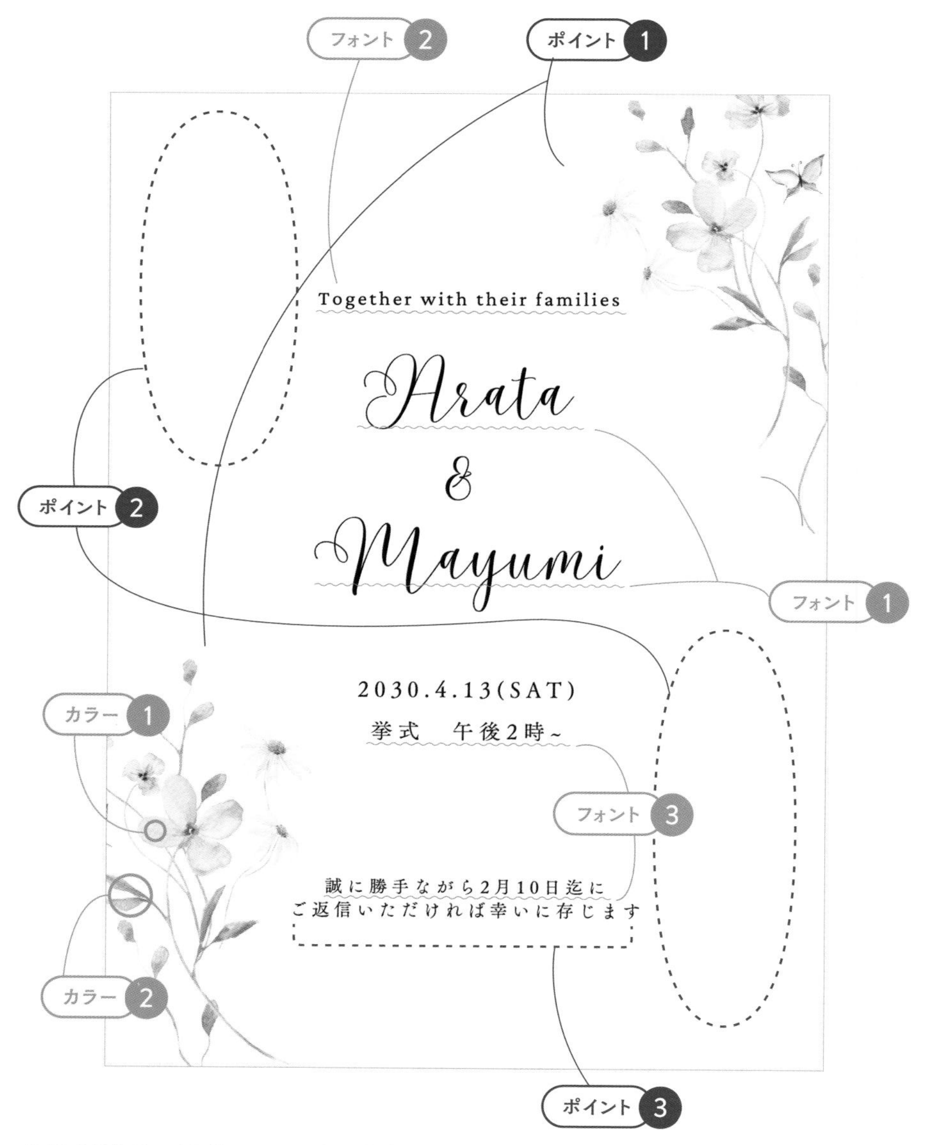

結婚式招待状の表面なので、あまり文字を詰め込みすぎないように注意が必要です。会場の案内などの詳細情報は裏面や別紙に記載するのが一般的なので、表面はあくまでオシャレに仕上げたいところ。思い切って余白を作り、フレームは対角線上に配置すると、デザインが上品にまとまります。余白は、重要な情報をしっかり際立たせる役目があります。

デザインポイント

1. 対角線上にフレームを入れてデザインをまとめる
2. 思い切って余白を作る
3. 必要最低限の情報で構成する

Font 使用フォント

フォント1 ▶ Malibu

ABCDEFGHIJKL
abcdefghijkl 1234567890

フォント2 ▶ Crimson Pro/Regular

ABCDEFGHIJKL
abcdefghijkl 1234567890

フォント3 ▶ 筑紫Aオールド明朝/Regular

春夏秋冬古今東西永遠
あいうえお1234567890

Color 配色（画像）

カラー1

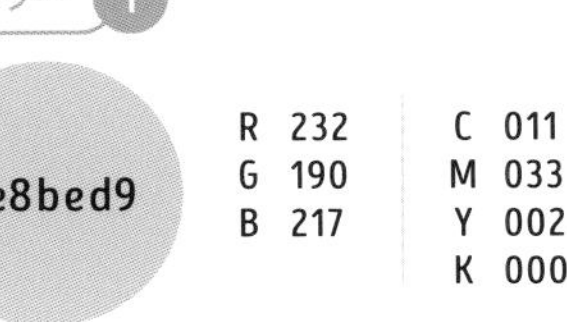

R 232
G 190
B 217

C 011
M 033
Y 002
K 000

カラー2

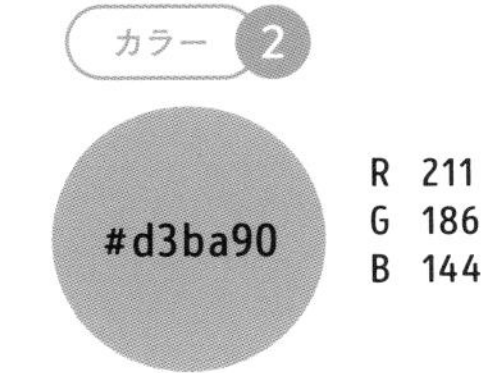

R 211
G 186
B 144

C 022
M 029
Y 046
K 000

アレンジデザイン：

結婚式の招待状

上下にフレームを入れたパターン

フレームを上下に入れたパターンです。この場合も注意点は、しっかり余白を作ること。余白を作るため、左右には何も入れていません。そこまで埋めてしまうと、ギッシリ感が出て、文字情報も読みづらくなります。

右側に大きくフレームを入れたパターン

右側にフレーム代わりの花の画像を、大きく配置したパターンです。フレームの機能はあまりありませんが、とても特徴的なデザインに。右側に画像、左側に文字情報を配置するという明確な区分けが特徴的です。

バリエーション：

結婚式の招待状

デザインポイント

1. 結婚式のイメージに合わせた画像を選ぶ
2. 必要最少限の情報で構成
3. 思い切って余白を作る

Font

フォント 1
▶ The Seasons
ABCDEFGHIJKL
abcdefghijkl 1234567890

フォント 2
▶ Open Sans
ABCDEFGHIJKL
abcdefghijkl 1234567890

mikimikiテクニック

白抜き文字をハッキリ見せるには網かけをする

そのままの状態で写真の上に白抜き文字をのせると、読みづらい。

＋

写真と同じサイズで、透明度を37にした黒色の四角い図形をのせる。

➡

写真が少し暗くなって、白抜き文字がハッキリ見える。（詳しくはP.114参照）

バリエーション：

結婚式の招待状

画像を複数使った結婚式招待状のデザインです。画像をたくさん使うと、まとまりのないデザインになりがちなので、どのように扱うかがポイント。ここでは、まるで実際に写真を貼ったスナップ写真のように、ピンやテープなどをあしらって、少し傾けて配置しています。画像に白い縁をつけているのも、スナップらしく見せる工夫です。

1. 写真を貼ったように少し傾けてコラージュ
2. ピンやテープで留めるあしらい

②

ポイント

画像をグリッドできれいに並べる

複数の画像があっても、すっきりとまとまりよくデザインすることができます。

Font
使用フォント

フォント 1 ▶ Signature

ABCDEFGHIJKL
abcdefghijkl 1234567890

フォント 2 ▶ はれのそら明朝

春夏秋冬古今東西永遠
あいうえお1234567890

フォント 3 ▶ Centaur/Regular

ABCDEFGHIJKL
abcdefghijkl 1234567890

バリエーション：

結婚式の招待状

画像の使い方を工夫した結婚式招待状のデザインです。画像をあまり大きくしたくない場合は、①のようにフレームの中に収めて使うと、オシャレな雰囲気に仕上げられます。くすみカラーをベースに配色して、やわらかなテイストの画像を隅に枠として使うと、さらにオシャレ度がアップ。メインにしている名前を少し傾けて使うのもポイントです。

デザインポイント

1. やわらかいテイストの画像を枠として使う
2. 画像をフレームに入れる
3. 枠に沿わせて文字を配置

②

ポイント

画像を切り抜きにして大きく配置し、インパクトを出す

インパクトを出したい場合は、画像は切り抜きにして、デザインの幅いっぱいに配置（断ち落とし）にすると、より大きく見せることができます。

Font

フォント 1 ▶ Malibu

ABCDEFGHIJKL
abcdefghijkl 1234567890

フォント 2 ▶ Alegreya/Regular

ABCDEFGHIJKL
abcdefghijkl 1234567890

フォント 3 ▶ ZEN角ゴシックNEW/Regular

春夏秋冬古今東西永遠
あいうえお1234567890

Color

カラー 1

#708da4

R	112	C	063
G	141	M	041
B	164	Y	029
		K	000

Column ｜ Canvaテクニック

画像の探し方のコツ

デザインにおいて画像は影響の大きな要素で、画像が与えるイメージがそのままデザインのイメージになることも。自分が作りたいデザインに合った画像を探すのが、成功の近道ともいえます。ここでは、mikimiki流Canvaでの画像の探し方のコツを紹介します。

① キーワードを組み合わせて検索

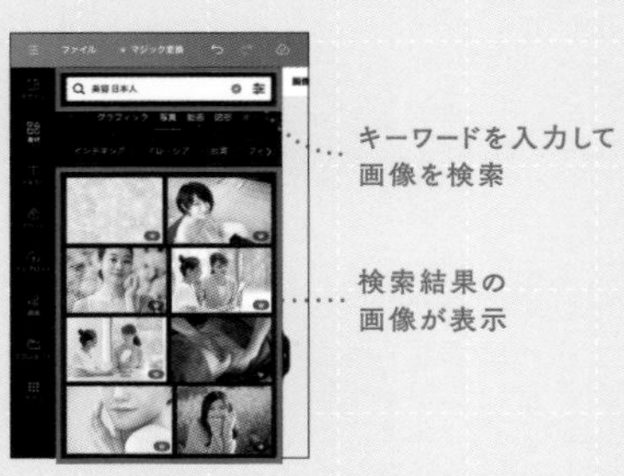

キーワードは、通常の検索と同様にいくつかを組み合わせると、イメージに近いものが見つかります。ただ、Canvaでは英語での検索のほうが多く見つかります。

② 気に入った画像の情報を確認

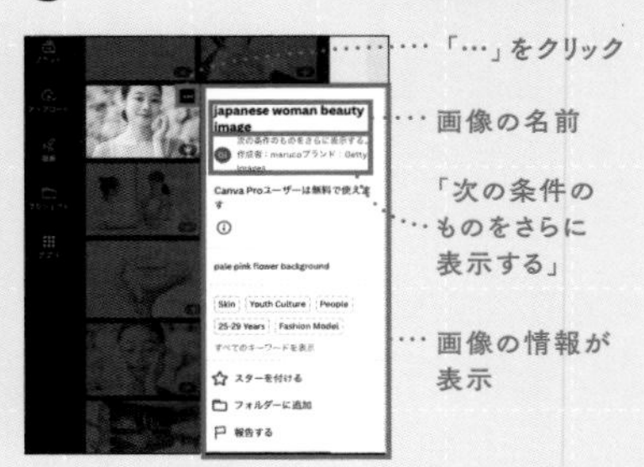

気に入った画像が見つかったら、右上の「…」をクリックして、画像の情報を表示させます。ここからさらに、類似の画像を探していきます。

③ 画像の名前から類似のものを探す

画像の名前を
入力して検索

画像の情報から名前部分をコピーして、それを検索窓にペーストして検索します。すると、類似の画像が見つかります。その中から、イメージにより近いものを選びましょう。

④「次の条件～」から類似のものを探す

画像の出所

「次の条件のものをさらに表示する」をクリックすると、画像を提供した個人やフォトサービスなどの他の画像が表示されます。ここからも、イメージに近い画像が見つかることがあります。

⑤「スター」をつけてお気に入りを見つけやすくする

検索して気に入った画像は、「…」をクリックして表示される情報の「スターを付ける」をクリックしておくと、あとからチェックすることができます。

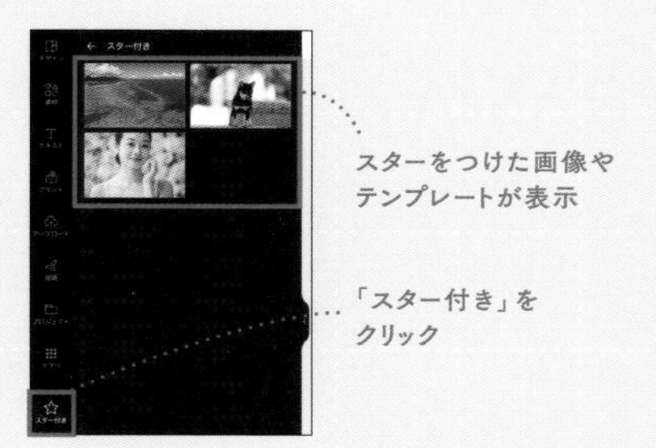

画面一番左のメニューから「スター付き」をクリックすると、スターをつけた画像やテンプレートなどが表示されます。

テンプレートに使われている画像を使いたい場合

① 画像を選択して詳細をクリック

テンプレートなどで使われている画像を選択して、「ｉ」（詳細）をクリックすると画像の情報が表示されます。

② 画像の情報を確認

画像の情報から、画像の名前などがわかります。

③ 名前から画像を探す

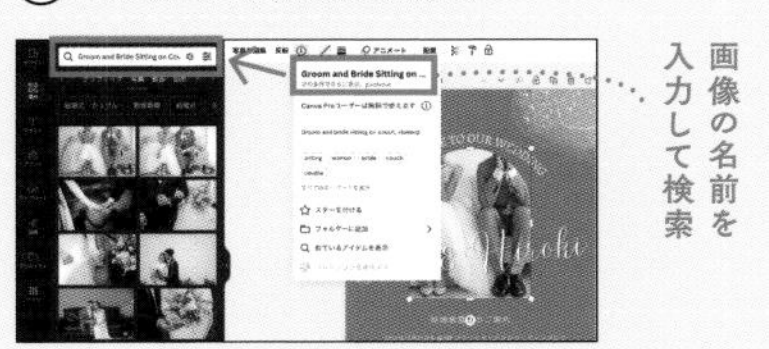

画像の情報から名前部分をコピーして、検索して画像を探します。

④「似ているアイテムを表示」から類似のものを探す

画像によっては、「似ているアイテムを表示」から類似の画像を探すこともできます。

Question

メニュー［パスタ］ # どっちの

Lunch Menu

ランチタイム 12:00〜15:00

迷ったらこれ！人気No.1

シェフおすすめの季節の新作パスタ
1,500円

ベジタブル
クリームパスタ
1,200円

エビのぷりぷり
フィットチーネ
1,500円

トマトと香る
バジルのパスタ
1,200円

パンプキンの
チーズパスタ
1,300円

たくさんの魚介が奏でるハーモニー

たっぷり魚介の大盛りパスタ
1,500円

A案

デザインがいい？

Lunch Menu

ランチタイム 12:00〜15:00

ベジタブル
クリームパスタ

1,200円

シェフおすすめの
季節の新作パスタ

1,500円

エビのぷりぷり
フィットチーネ

1,500円

トマトと香る
バジルのパスタ

1,200円

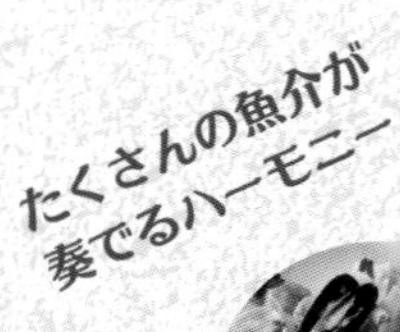

たっぷり魚介の
大盛りパスタ

1,500円

パンプキンの
チーズパスタ

1,300円

B案

OKデザイン

OKポイント

おすすめメニューの写真を大きくする

OKポイント

文字を写真に沿わせて動きをつける

OKポイント

しっかり写真と文字をリンクさせる

A案

NGポイント
写真がすべて同じ大きさで
おすすめがわかりにくい

NGポイント
ただ文字を
配置しているだけ

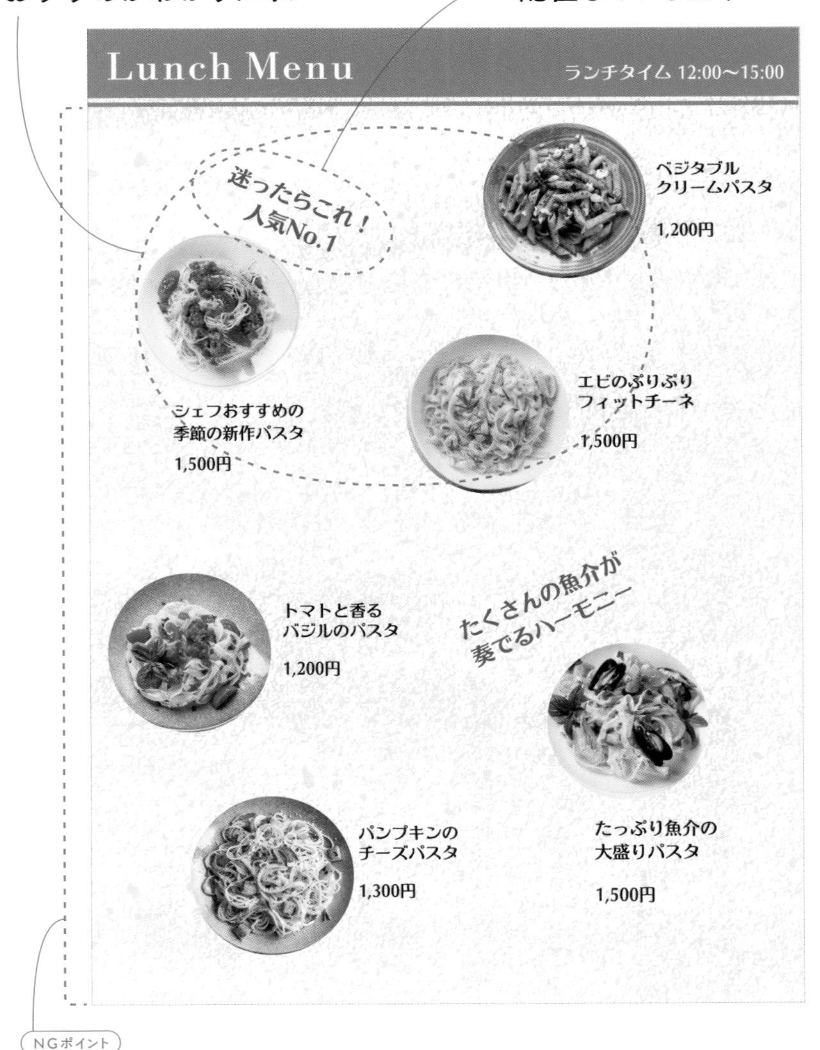

NGポイント
全体的に配置がバラバラで
まとまりがない

B案

OKデザインの解説

イタリアンのランチメニューで、パスタを真上（真俯瞰）から撮影した写真の円形を活かしたデザインです。おすすめのメニューの写真を大きくして、利用者に選んでもらいやすくしています。おすすめコメントはお皿の縁に沿うようにして弧を描き、遊び心とデザインの変化を両立させています。写真とメニュー名・価格がきちんとわかるように、罫線を引き出しています。

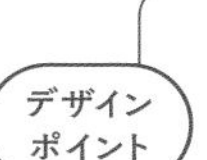

1. おすすめの写真を大きく見せる
2. 文字を写真に沿わせて動きをつける
3. しっかり写真と文字をリンクさせる

Font 使用フォント

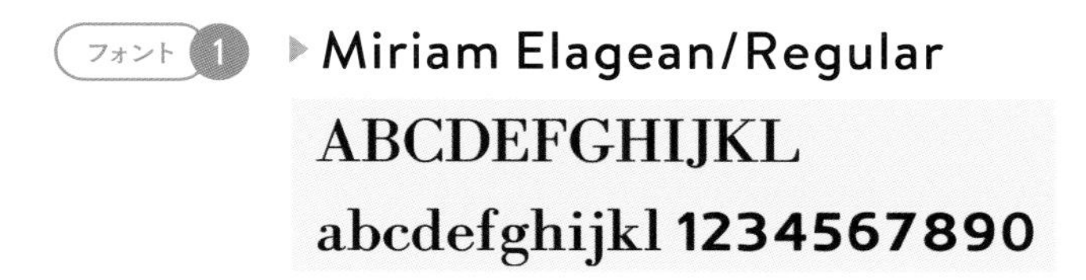

フォント 2 ▶ モトヤアラタ/Medium・Bold

春夏秋冬古今東西永遠
あいうえお1234567890

※見本はMedium

Color 配色

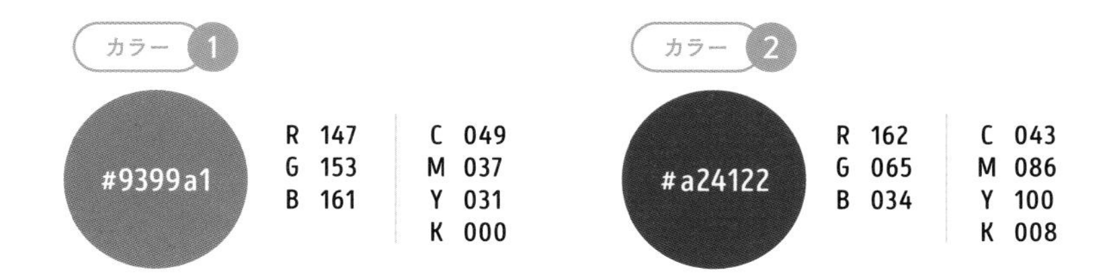

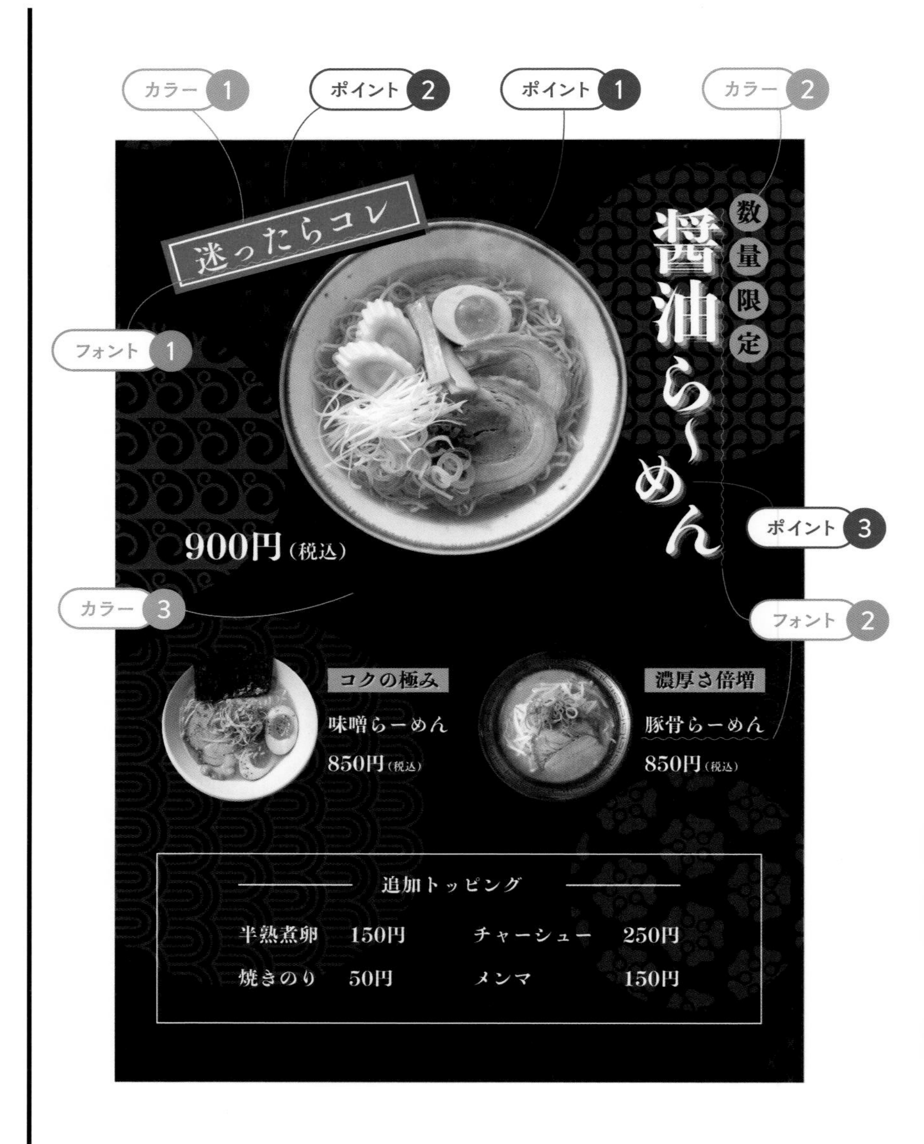

ラーメン店のメニュー表です。色とフォント、背景のあしらいを和風テイストで仕上げています。お店の雰囲気と合わせ、黒ベースの背景に金色に見えるあしらいを配置。選んでほしいおすすめメニューを大きく見せ、さらに「迷ったらコレ」と選択を後押しするキャッチコピーを入れています。黒背景なので、文字は白抜きにして視認性を上げています。

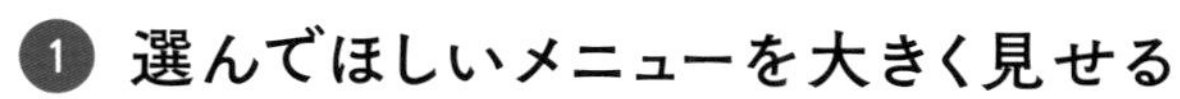

2 赤地に白抜き文字で視線を誘導

3 一文字だけ外してデザインに動きを出す

Font 使用フォント

フォント 1 ▶ 筑紫Aオールド明朝/Bold

春夏秋冬古今東西永遠
あいうえお1234567890

フォント 2 ▶ 筑紫C見出ミン

春夏秋冬古今東西永遠
あいうえお1234567890

Color 配色

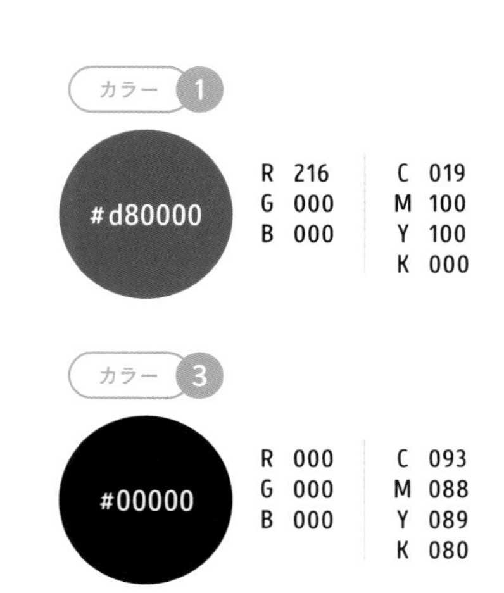

バリエーション：メニュー【シュークリーム】

お店のおすすめメニューだけをピックアップしたメニュー表のデザイン。２つのメニューを対比させて、利用者に選択を迫る仕組みになっています。キャッチコピーと色で、明確に対比構造を作っているのが特徴です。コピーを対角線上に置くことで視線を誘導し、色分けは補色関係にあるオレンジ系とグリーン系で対比を際立たせています。

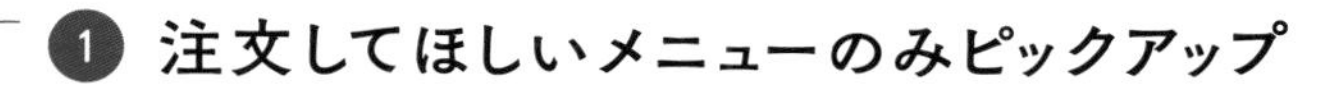

2 対立させる文字を対角線上に配置

3 補色関係にあるオレンジと緑で対比関係を際立たせる

Font 使用フォント

▶ セザンヌ/ExtraBold

春夏秋冬古今東西永遠
あいうえお1234567890

▶ Noto Sans JP/Medium

春夏秋冬古今東西永遠
あいうえお1234567890

Color 配色

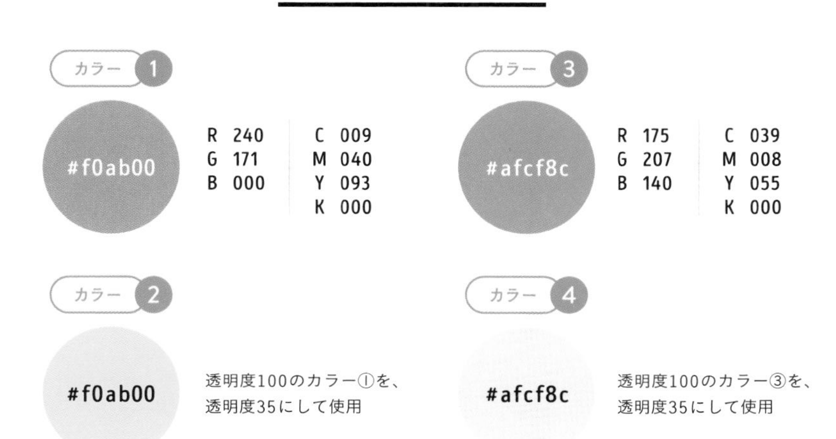

配色 組み合わせ例

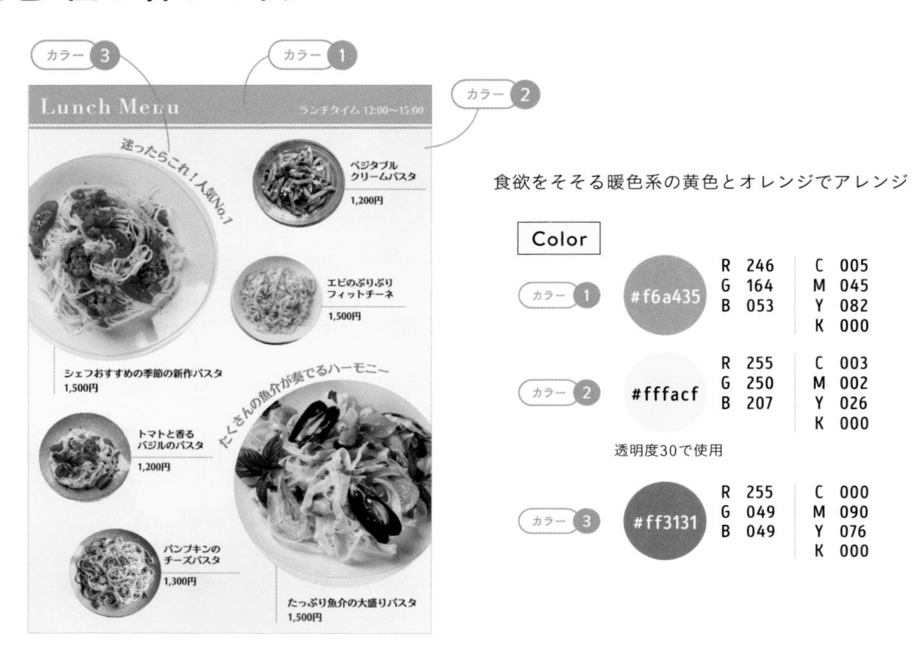

食欲をそそる暖色系の黄色とオレンジでアレンジ

Color

		RGB	CMYK
カラー 1	#f6a435	R 246 / G 164 / B 053	C 005 / M 045 / Y 082 / K 000
カラー 2	#fffacf	R 255 / G 250 / B 207	C 003 / M 002 / Y 026 / K 000
カラー 3	#ff3131	R 255 / G 049 / B 049	C 000 / M 090 / Y 076 / K 000

透明度30で使用（カラー 2）

イタリアンカラーでもある
ビビッドな赤系のアレンジ

Color

		RGB	CMYK
カラー 1	#cd0c0c	R 205 / G 012 / B 012	C 025 / M 100 / Y 100 / K 000
カラー 2	#ffafc0	R 255 / G 175 / B 192	C 000 / M 044 / Y 012 / K 000
カラー 3	#ff3131	R 255 / G 049 / B 049	C 000 / M 090 / Y 076 / K 000

透明度30で使用（カラー 2）

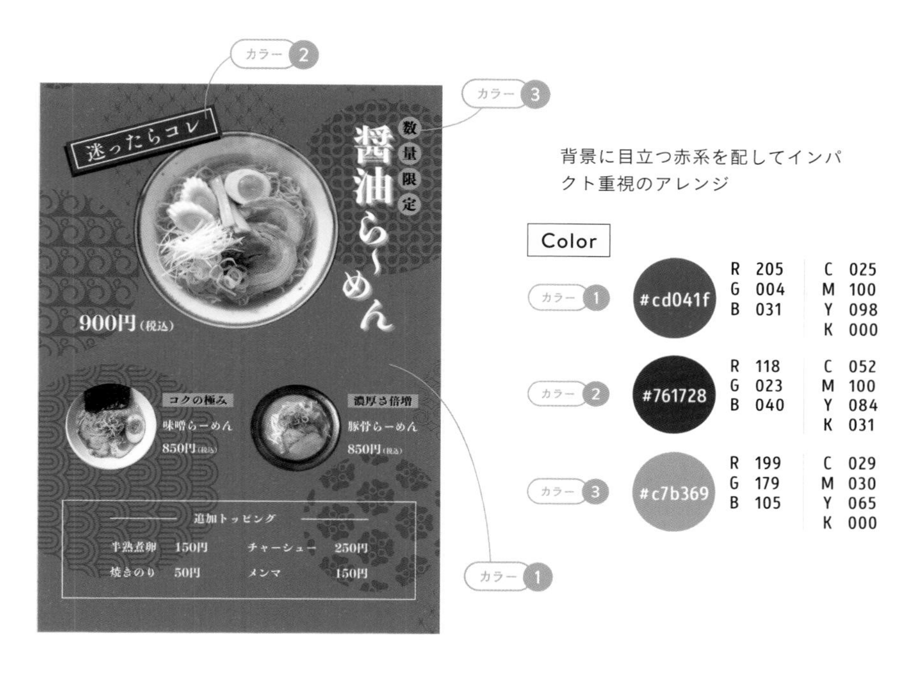

背景に目立つ赤系を配してインパクト重視のアレンジ

Color

		RGB	CMYK
カラー 1	#cd041f	R 205 G 004 B 031	C 025 M 100 Y 098 K 000
カラー 2	#761728	R 118 G 023 B 040	C 052 M 100 Y 084 K 031
カラー 3	#c7b369	R 199 G 179 B 105	C 029 M 030 Y 065 K 000

背景を白ベースにして写真を際立たせるアレンジ

Color

		RGB	CMYK
カラー 1	#efefef	R 239 G 239 B 239	C 008 M 006 Y 006 K 000
カラー 2	#d80000	R 216 G 000 B 000	C 019 M 100 Y 100 K 000
カラー 3	#c7b369	R 199 G 179 B 105	C 029 M 030 Y 065 K 000

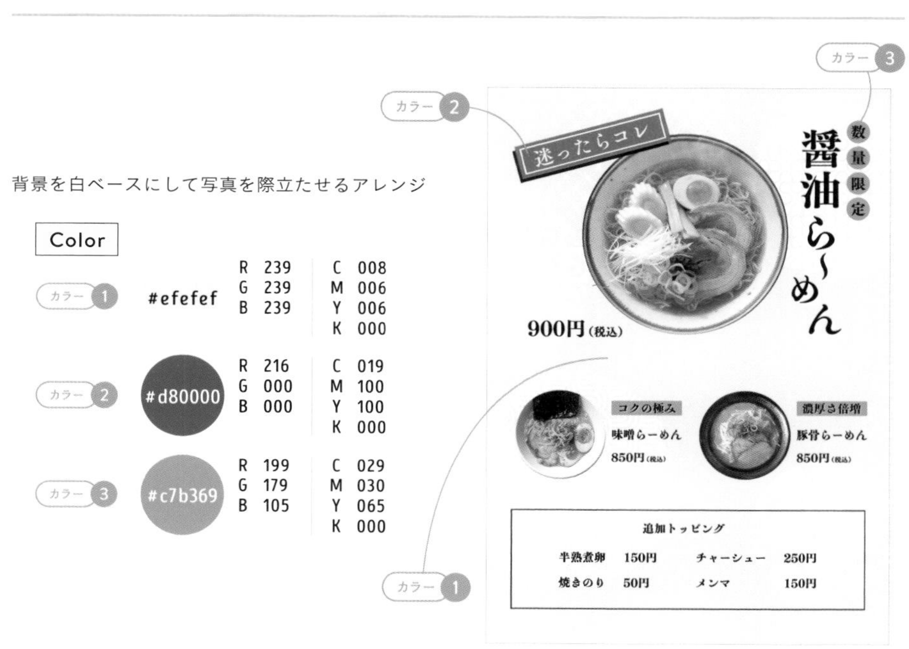

Column | Canvaテクニック

素材の配置とレイヤーについて

素材の配置には「前面」「背面」がある

Canvaに限らず、デザインソフトでは、画像や文字などの素材同士でどちらが前面なのか、背面なのかという配置の位置関係があります。素材同士が重なっている場合、背面にあるものは前面にあるものの陰に隠れて見えなくなります。

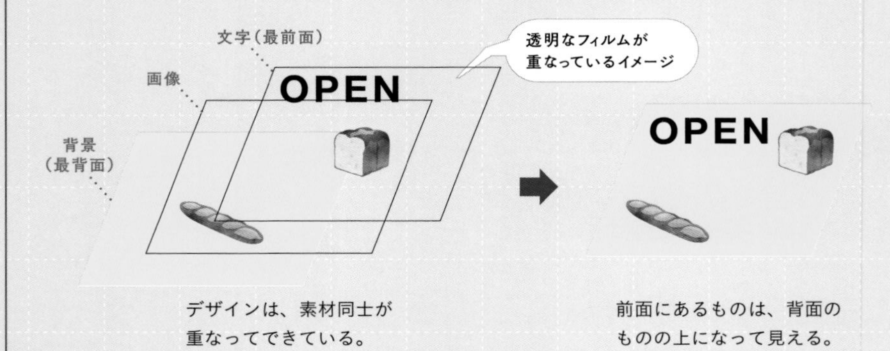

デザインは、素材同士が重なってできている。

前面にあるものは、背面のものの上になって見える。

配置を移動させて見え方をコントロール

素材同士の配置を変えると、見た目が変わってきます。「前面」「背面」を使い分けて、デザインの見え方をコントロールします。

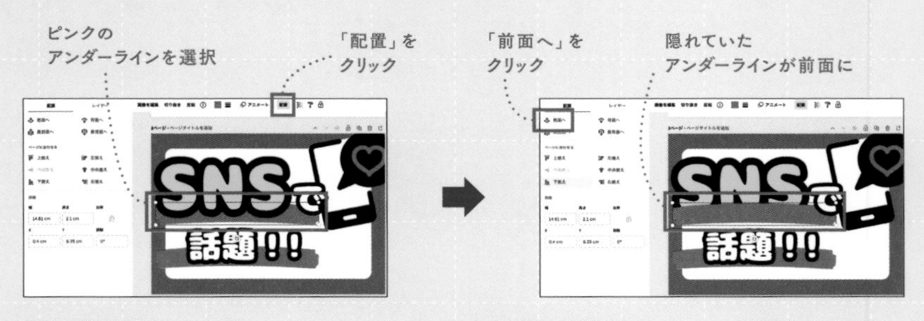

素材を選択して、「配置」をクリック。

配置に関するメニューが表示されるので、試しに「前面へ」をクリックすると、背面にあったアンダーラインが前面に出てきた。

配置は「レイヤー」で管理

たくさんの素材があって位置関係がわかりにくい場合は、「レイヤー」で確認できます。上に表示されるほど前面にあって、レイヤーをドラッグ&ドロップすると前面背面を移動させることができます。

クリックするとレイヤーが表示

このデザインの場合、もっとも目立たせたい「得」の文字が前面に配置されている。他の文字と重なっている部分は、「得」が上に見えている。

素材の配置がひと目でわかる上にあるほど「前面」

文字の重なりで「得」が上に

レイヤーを使ったデザインテクニック 1

ハートをピンク色にしたい

レイヤーを上手に使うと、デザインの幅が広がります。黒色のスマホの画像のハート部分だけをピンクにしたい場合のテクニックを紹介します。

白い部分が透過（透き通っている）しているスマホの画像と、ピンク色の四角い図形を使う。

ハート部分にピンクを重ねる

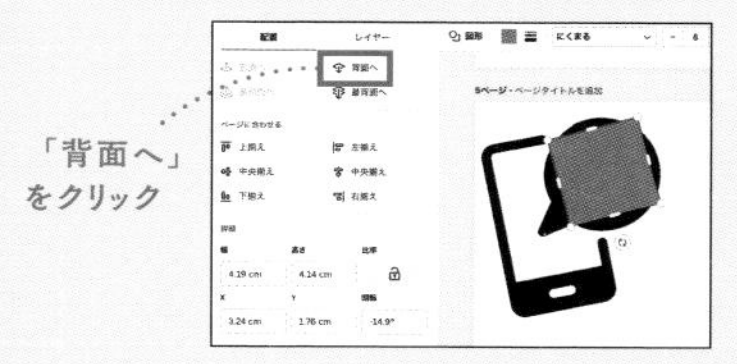

「背面へ」をクリック

ハート部分にピンクの画像を重ねて、「背面へ」をクリック。

ピンクを背面に移動

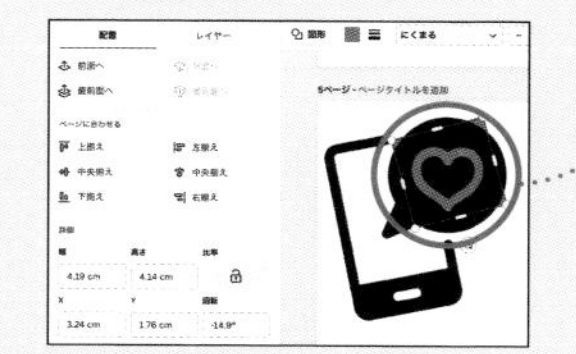

背面のピンクが透過部分から見えている

スマホ画像の後ろにピンクが移動して、透き通ったハート部分から見えている。あとはピンクの画像のサイズを調節すれば、ピンクのハートが完成。

レイヤーを使ったデザインテクニック 2

白抜き文字をハッキリ見せたい → 画像と文字の間に「網かけ」をする

白抜き文字は、背景が明るい場合や薄い色の場合は読みにくくなってしまいます。ハッキリ見せたい場合は、画像と文字の間に、「透明度」の数値を小さくした画像を「網かけ」として配置すると、読みやすくなります。

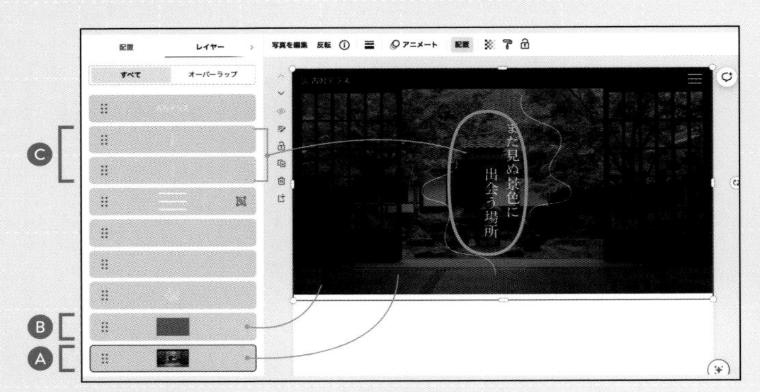

P.152で紹介しているデザインでは、画像の上に網かけがあり、その上に白抜き文字が配置されている。

A 画像

元の画像は、外の景色が明るめのもの。

+

B 網かけ

画像と同じサイズの、黒色の四角い図形の「透明度」を44にして使用。（透明度は数値が小さいほど透けて見える）

+

C 文字

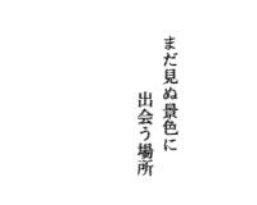

文字は白色にして使用。

デザインのセンス&文字の読みやすさがアップ！

完成

画像の上に網かけ、その上に白抜き文字を配置。少し暗めの雰囲気のある画像の上の白抜き文字は、細いフォントながらしっかり読める。

レイヤーを使ったデザインテクニック ③

写真の上に文字をのせたい → 写真の上に帯状に「網かけ」をする

左のページと同様のテクニックです。写真の上にそのまま文字をのせると読みにくくなる場合があるので、写真の上に「網かけ」をして文字をのせます。ここでは白抜き文字ですが、色のついた文字でも使えるテクニックです。

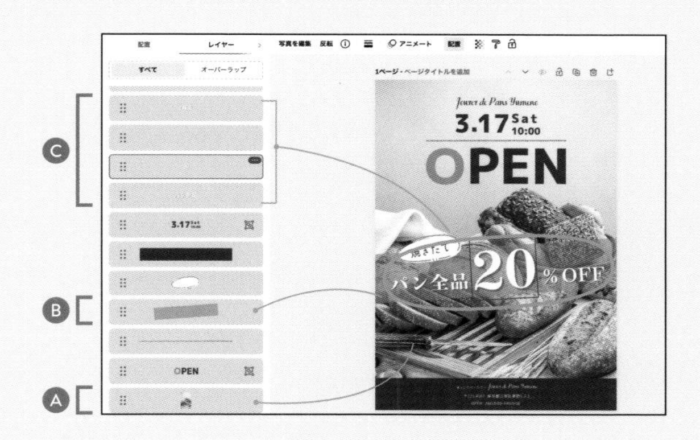

P.40で紹介しているデザインでは、写真の上に帯状の網かけがあり、その上に影つきの白抜き文字が配置されている。(文字の影については、P.142参照)

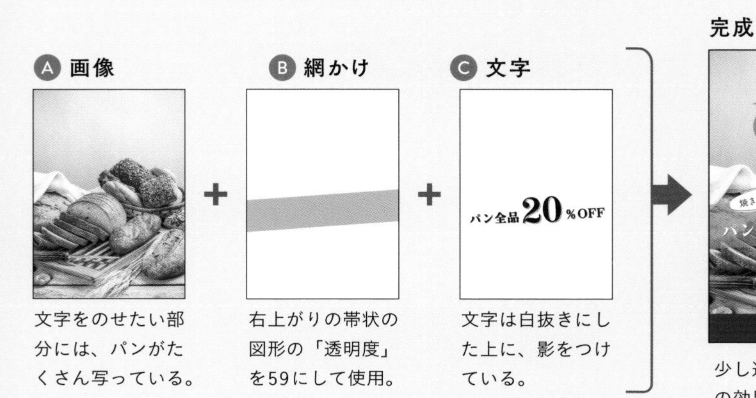

文字をのせたい部分には、パンがたくさん写っている。

右上がりの帯状の図形の「透明度」を59にして使用。

文字は白抜きにした上に、影をつけている。

完成

少し透けた帯状の網かけの効果で、下の写真も見えつつ、上にのせた文字もしっかり読める。

第3章

テーマ

「Webで使える」デザイン

この章では、Webで使えるデザインを紹介します。Canvaでは、印刷物だけでなくWebに活用できるデザインのテンプレートが用意されています。ジャンルはサイトで使えるバナー、SNSの投稿のトップページ、Webサイトのトップページなど。「いいね」や閲覧数をアップさせる、デザインの仕掛けを紹介します。

バナー

→P.118

SNS投稿

→P.130

Webサイト

→P.144

Question

バナー［オンラインセミナーの告知］どっちの

A案

デザインがいい？

B案

◯ OKデザイン

OKポイント

文字の下に正方形を敷いて視認性を上げる

OKポイント

1文字分の正方形だけ色を変える

OKポイント

日付と時間のフォントに大きさの差をつけてメリハリをつける

A案

✕ NGデザイン

NGポイント

線の細い明朝体の白抜きの文字が背景に負けて目にとまりにくい

NGポイント

枠がなくて文字が目立たない

NGポイント

文字がすべて同じ大きさなので読みにくい

B案

OKデザインの解説

オンラインセミナー告知用のバナーデザインです。登壇する人物の画像を入れつつ、講座名を大きく配置。背景画像の色が濃いので、文字の下に正方形の背景を敷いて読みやすくします。さらに1文字分の背景色だけを黄色にして、目がとまる「アイキャッチ」に。日付と時間の文字サイズにあえて差をつけることで、メリハリをつけて読みやすくしています。

デザインポイント

1. 文字の下に正方形を敷いて視認性を上げる
2. 1文字だけ色を変えてアイキャッチにする
3. フォントに大きさの差をつけてメリハリをつける

Font 使用フォント

フォント 1 ▶筑紫B見出ミン

春夏秋冬古今東西永遠
あいうえお1234567890

フォント 2 ▶Noto Sans JP/Bold・Black

春夏秋冬古今東西永遠
あいうえお1234567890

※見本はBold

フォント 3 ▶モトヤゴシックw/Bold

春夏秋冬古今東西永遠
あいうえお1234567890

Color 配色

カラー②〜④は写真の色

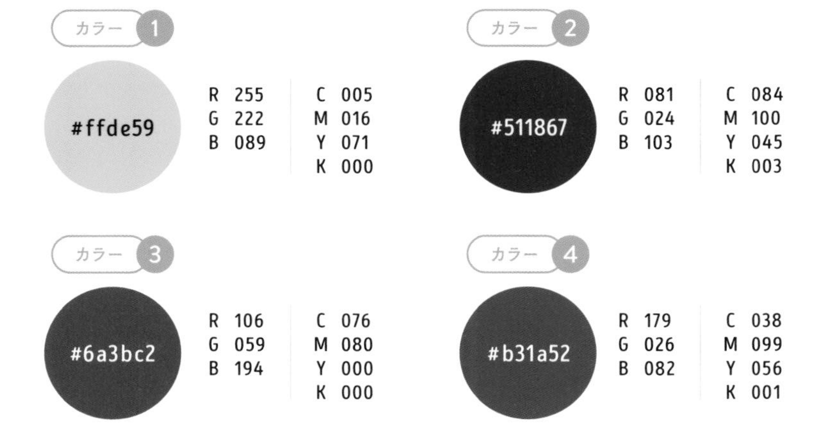

バリエーション：バナー［オンラインセミナーの告知］

転職無料相談会の告知バナーのデザインです。強調する「新」「発見」は、アイキャッチになるよう、サイズを大きくして目立つ赤系の色にし、さらに影をつけて浮き立つようにしています。さらに、目線を感じると、人は思わず目をとめてしまうという心理を利用して、人物が正面を向いている画像を使用。手書きの文字を加えて、デザインに動きを演出しています。

1. 文字を大きく、色と影をつけて強調する
2. 手書き文字を加えてデザインに動きを出す
3. 人物の目線があると人の目を引く

Font 使用フォント

フォント 1 ▶ ニューセザンヌ/Bold

春夏秋冬古今東西永遠
あいうえお1234567890

フォント 2 ▶ ふい字

春夏秋冬古今東西永遠
あいうえお1234567890

Color 配色

カラー 1

カラー 2

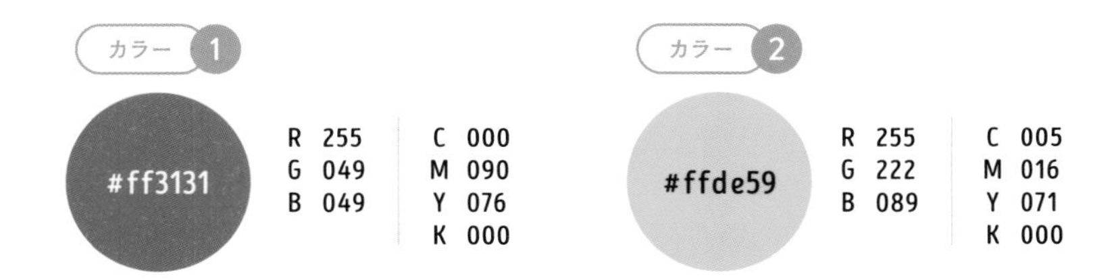

バリエーション：バナー［オンラインセミナーの告知］

写真を使わずイラストと文字で構成したオンラインセミナー告知のバナーデザインです。セミナーのテーマに合わせたイラストを使い、ビジュアル的な説得力を作っています。人物写真を使う場合よりもインパクトが下がるので、ビビッドで明度の差が大きい色を使った印象的な組み合わせにして、目立たせるように工夫しています。使っている色は２色のみ。

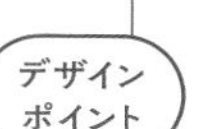

1. テーマに合わせたイラストを配置
2. インパクトのある配色の組み合わせ
3. 説明の文字は囲んで区別する

Font 使用フォント

フォント 1 ▶ZEN角ゴシックNEW/Bold・Black

春夏秋冬古今東西永遠
あいうえお1234567890

※見本はBlack

Color 配色

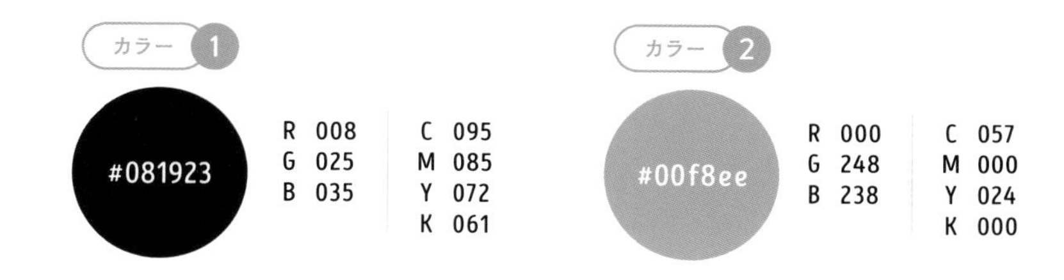

OK＆バリエーションデザインアレンジ例

アレンジポイント　強調する内容を変える

講座の内容の部分を強調しています。強調の仕方はテキストのサイズを大きくして、「AI」の部分に黄色い背景を敷きました。強調する部分を変えると、デザインの雰囲気も変わってきます。

アレンジポイント　強調するポイントをずらす

基本的なデザインはそのまま、文字数が同じならテキストを変更することも可能。テキストの内容に合わせて、強調する部分を1行目は最後の「挑戦」、2行目は最初の「応援」とずらしています。

アレンジポイント

色を反転させる

元デザインと、色を反転したアレンジです。背景が水色に変わったことで、少しさわやかな雰囲気になっています。デザインを作っているときにしっくりこない場合、色を反転させてみるのは、効果的です。

アレンジポイント

イラストのテイストを変える

イラストのテイストを変えるだけでも、与える印象は大きく変わります。サイバーな画像のテイストでデザイン全体の雰囲気も大きく変わり、最先端な雰囲気に。

Question

SNS投稿：トップ画像

どっちの

A案

デザインがいい？

B案

○ OKデザイン

OKポイント

目にとまるように
1文字だけ強調する

OKポイント

視線の動きに合わせて
Z状に情報を配置する

OKポイント

余白のある画像で
見やすく

A案

NGデザイン

NGポイント
メインタイトルと大きさが近くて
お互いに目立たない

NGポイント
配色も文字の大きさも
統一感がありすぎて
目にとまらない

NGポイント
数字が小さくて
強調されない

B案

OKデザインの解説

SNS（Instagram）への投稿のトップ画面のデザイン。タイトルはとにかくわかりやすさとインパクトが重要。様々な投稿が並ぶ画面をスクロールしていても目にとまるように「楽」という文字を大きくし、色を変え、さらに傾けています。画像は余白のあるものを選ぶと、文字が読みやすくなるだけでなく、目立たせたい部分が際立ちます。数字も大きくして2つ目のアイキャッチに（P.70参照）。

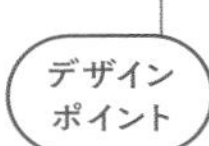

1. 目にとまるように1文字だけ強調する
2. 視線の動きに合わせてZ状に情報を配置する
3. 余白のある画像で見やすく

Font 使用フォント

▶ UDモトヤマルベリ/Regular・Bold

春夏秋冬古今東西永遠
あいうえお1234567890

※見本はBold

Color 配色

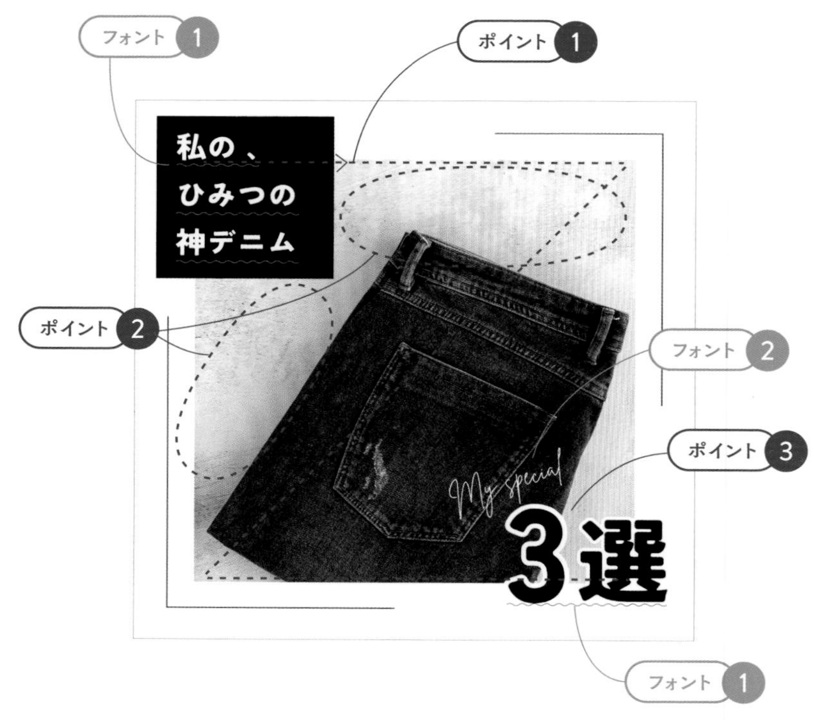

人の視線は、一般的に左上から右に動き、その後左下に移動して最後に右下で終わるように動きます。それを利用して、情報をZ字状に配置すると、見る側も気持ちよく情報を取得できます。タイトルやもっとも重要な情報は、最初に目が行く左上に配置するといいでしょう。画像の余白を活かして、スッキリ読みやすいデザインに仕上げています。

デザインポイント

1. 視線の動きに合わせてZ状に情報を配置する
2. デザインに余白を持たせてスッキリ読みやすく
3. 数字を大きく見やすく

Font
使用フォント

フォント 1
▶ つなぎゴシック

春夏秋冬古今東西永遠
あいうえお1234567890

フォント 2
▶ Brittany

ABCDEFGHIJKL
abcdefghijkl 1234567890

左のデザインのアレンジで、タイトル部分を白地黒文字にして、フレーム部分を黒色にしてインパクトを出しています。

タイトル部分の背景にグラデーションを使ってみました。少し淡めの色合いでも、グラデーションにすることで目にとまりやすくなります。

フレームにグラデーションを使っています。全体にオシャレなニュアンスが出てくるので、おすすめです。

Color 配色

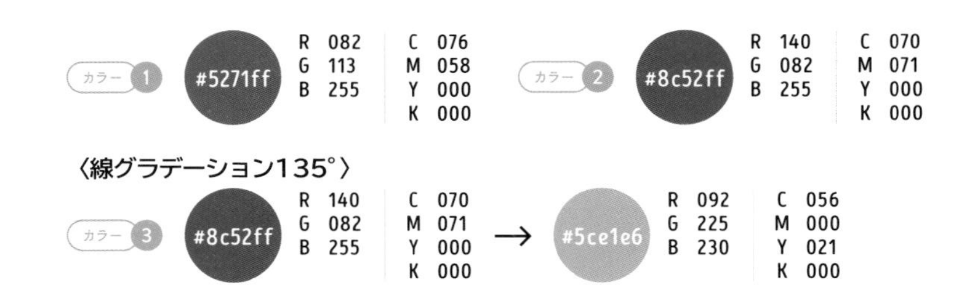

ポイント 1

フォント 1

もっとも目立つ、デザインの中央にタイトルを配置しました。画像はあくまで背景として使い、しっかりと読みやすい明朝系のフォントで、あえてテキストの大きさに差をつけて、大きく「夏服」と入れてあります。周囲を線で囲むことで、デザインにまとまりを与えています。

ポイント 1 **タイトルを中央に配置**

Font
使用フォント

フォント 1 ▶源流明朝/SemiBold

春夏秋冬古今東西永遠
あいうえお1234567890

ポイント 1

タイトルを湾曲させて特徴をつける

Font

フォント 1

▶ Zen Maru Gothic/Bold

春夏秋冬古今東西永遠
あいうえお1234567890

タイトルを湾曲させて、特徴的なアイキャッチにしています（テキストの湾曲はP.143参照）。アンダーラインがわりの矢印も、カーブを合わせています。

ポイント 1

「夏服」だけを大きくして袋文字にして左上に配置

Font

フォント 1

▶ Zen Maru Gothic/Bold

春夏秋冬古今東西永遠
あいうえお1234567890

視線がスタートする左上にタイトルをまとめたパターンです（視線の動きについてはP.70参照）。服の写真を、あえて切れるように配置することで、見ている人の想像力を喚起します。

SNS投稿のバリエーション

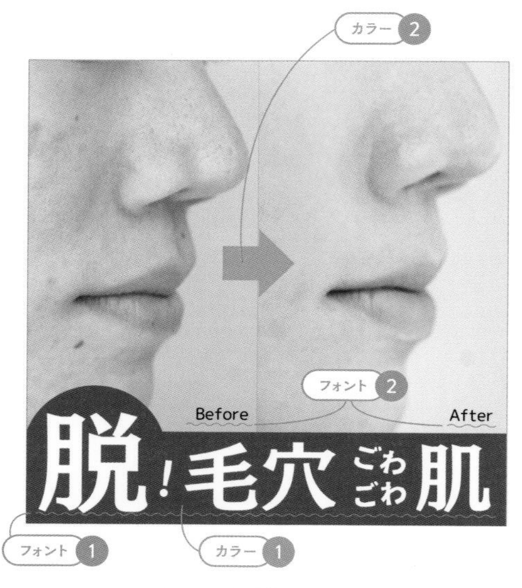

Before→Afterを画像でしっかり見せるデザインです。「脱」の文字を大きくして、さらに背景も飛び出させて強調しています。

Font

フォント 1 ▶ モード明朝

春夏秋冬古今東西永遠
あいうえお1234567890

フォント 2 ▶ Rounded M＋/Regular

ABCDEFGHIJKL
abcdefghijkl 1234567890

Color

		RGB	CMYK
カラー 1	#8b604d	R 139 / G 096 / B 077	C 052 / M 067 / Y 070 / K 008
カラー 2	#f1946a	R 241 / G 148 / B 106	C 006 / M 054 / Y 056 / K 000

Font

フォント 1

▶ Source Han Serif JP/SemiBold

春夏秋冬古今東西永遠
あいうえお1234567890

Color

		RGB	CMYK
カラー 1	#524a60	R 082 / G 074 / B 096	C 076 / M 074 / Y 051 / K 013
カラー 2	#dbbac9	R 219 / G 186 / B 201	C 017 / M 032 / Y 012 / K 000

透明度85で使用

文字を人物の輪郭に沿わせて、オシャレな雰囲気を演出。文字の大きさにメリハリをつけ、特に「秘密」は丸囲みして目立たせています。

インパクトをつけたい文字の上に「・」をつけて視線を集める工夫をし、さらに斜めに配置してデザインに勢いを。画像に半透明の網かけ（P.114参照）をすると、文字が読みやすくなります。

Font

フォント 1 ▶ モトヤゴシックw /Semi Bold・Bold

春夏秋冬古今東西永遠
あいうえお1234567890

※見本はBold

Color 網かけ画像

カラー 1 #000000	R 000 G 000 B 000	C 093 M 088 Y 089 K 080

透明度32で写真の上に

Font

フォント 1 ▶ はなぞめ

春夏秋冬古今東西永遠
あいうえお1234567890

フォント 2 ▶ Rounded M＋/Black

ABCDEFGHIJKL
abcdefghijkl 1234567890

フォント 3 ▶ BANTAYOG/REGULAR

ABCDEFGHIJKL
ABCDEFGHIJKL 1234567890

Color カラー②③は画像の色

カラー 1 #70635a	R 112 G 099 B 090	C 063 M 061 Y 063 K 009
カラー 2 #c6a78f	R 198 G 167 B 143	C 027 M 038 Y 043 K 000
カラー 3 #e4cdba	R 228 G 205 B 186	C 013 M 023 Y 026 K 000

画像をスマホのフレームに入れて、インパクトのあるデザインにしています。文字色を画像で使われている色味に合わせることで、統一感のあるテイストに仕上がります。

Column | Canvaテクニック

テキストに「エフェクト」をかける

テキストに影をつけたり、袋文字にしたりすることを「エフェクトをかける」といいます。エフェクトをかけたテキストは、ただ情報を伝えるだけでなく、デザインのひとつの要素になります。

テキストに影をつける

テキストに影をつけることで、立体感を演出することができます。また、テキストを目立たせる効果も。Canvaでは影のカラーを変えるのはもちろん、元のテキストとのズレ具合や影の方向、透明度なども設定できます。

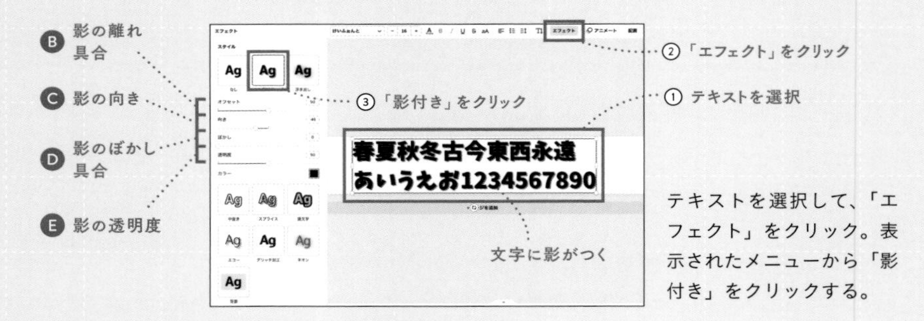

テキストを選択して、「エフェクト」をクリック。表示されたメニューから「影付き」をクリックする。

A 影のカラーを変える

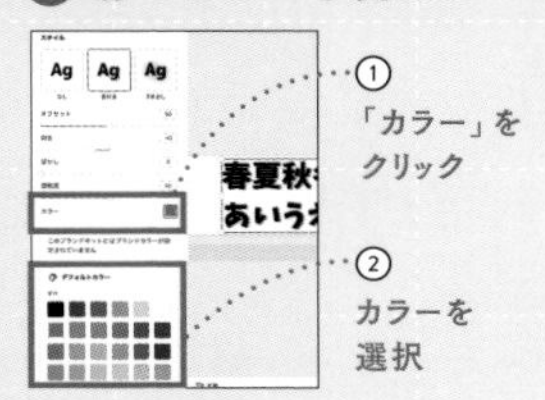

「カラー」をクリックして、影のカラーを選択できる。

B 影の離れ具合を調整する

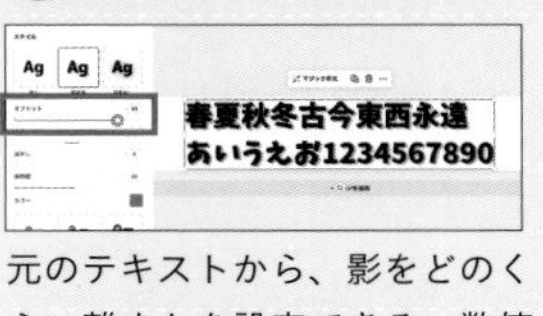

元のテキストから、影をどのくらい離すかを設定できる。数値が大きくなるほど離れる。

C 影の方向を変える

影の方向を設定できる。数値がプラスになると左方向、マイナスとなると右方向に影がつく。

D 影のぼかし具合を調整する

影のぼかし具合を設定できる。数値が大きくなるほど、影がぼける。

E 影の透明度を変える

影の透明度を設定できる。数値が大きくなるほどハッキリして、小さくなるほど透明度が上がる。

袋文字にする

テキストの1文字1文字にフチをつけることを「袋文字にする」といいます。フチを濃い色にすると、目立たせることができます。フォントとの組み合わせで、デザインにいろいろな効果をもたらすことが可能です。

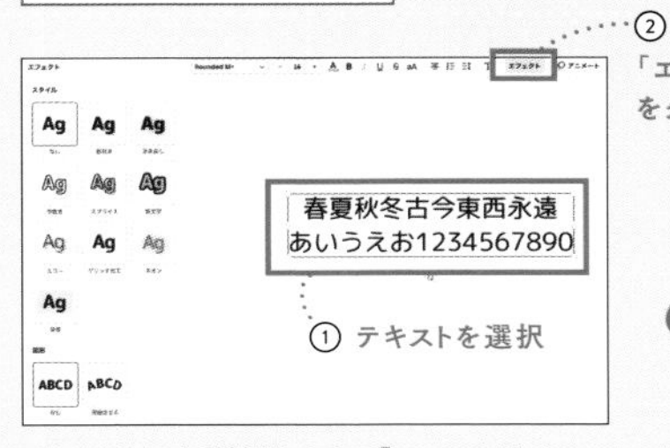

テキストを選択して、「エフェクト」をクリック。表示されたメニューから「袋文字」をクリックする。

A フチの太さを変える

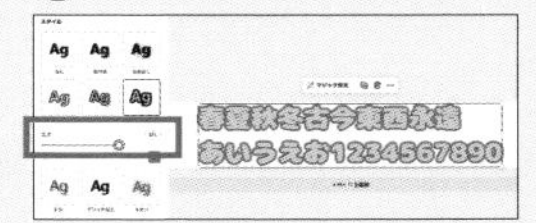

フチの太さを設定できる。数値が大きくなるほど、フチが太くなる。

B フチのカラーを変える

「カラー」をクリックして、フチのカラーを設定できる。

テキストを湾曲させる

テキストにカーブをつけて湾曲させることができます。湾曲の具合を調整すれば、円形や孤を描いてテキストを表示させられます。

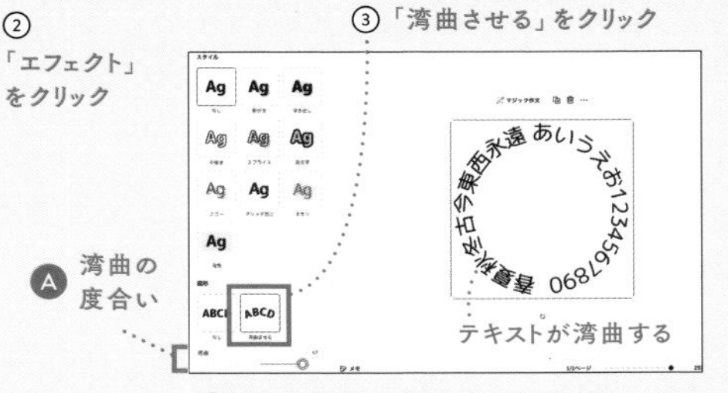

テキストを選択して、「エフェクト」をクリック。

「湾曲させる」をクリックすると、テキストにカーブがかかる。

A 湾曲の度合いを調整

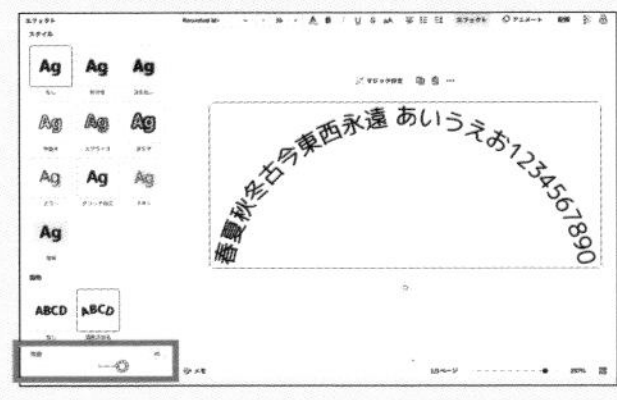

湾曲の度合いを調整することで、テキストを円形や孤などにできる。数値が大きいほど、湾曲が強くなる。

Question

Webサイト［トップページ］どっちの

Ririan Beauty

Home About Menu Access Contact

日常を忘れる
至福の時間をあなたに

贅沢なスパ体験で、穏やかな癒しをあなたにお届けします

ご予約はこちら

A案

デザインがいい？

Ririan Beauty
Home About Menu Access Contact

日常を忘れる
至福の時間をあなたに

贅沢なスパ体験で、穏やかな癒しをあなたにお届けします

ご予約はこちら

オーガニックアロマオイルを使用しております
癒しの時間をお楽しみください

B案

○ OKデザイン

OKポイント

トップページなので
必要な情報のみを入れる

OKポイント

見出しのみを明朝にして
メリハリをつける

OKポイント

たっぷり
余白をとる

A案

✕ NGデザイン

NGポイント
文字が大きくて
オシャレさがない

NGポイント
すべて同じフォントで
メリハリがない

NGポイント
情報を盛り込みすぎて
余白がない

B案

OKデザインの解説

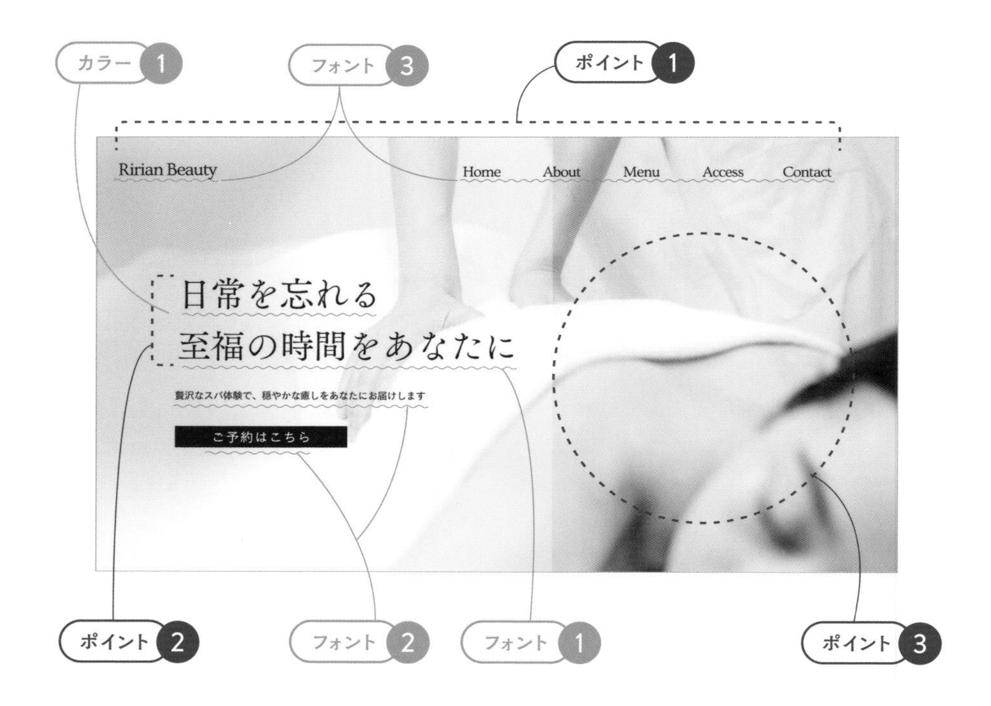

リラクゼーションサロンのサイトのトップページのデザイン。背景全面に想起してほしい雰囲気に合わせた画像を配置しています。文字のフォントは、見出しのみ明朝にしてメリハリを。トップページはユーザーが最初に見るページなので、情報は必要最小限にして、思い切った余白をたっぷりとる「引き算」のデザインにしています。

1. 必要な情報のみを入れる
2. 見出しのみを明朝にしてメリハリをつける
3. たっぷり余白をとる

Font 使用フォント

フォント1 ▶ 筑紫Aオールド明朝/Regular

春夏秋冬古今東西永遠
あいうえお1234567890

フォント2 ▶ セザンヌ/Medium

春夏秋冬古今東西永遠
あいうえお1234567890

フォント3 ▶ Ovo

ABCDEFGHIJKL
abcdefghijkl 1234567890

Color 配色

カラー1

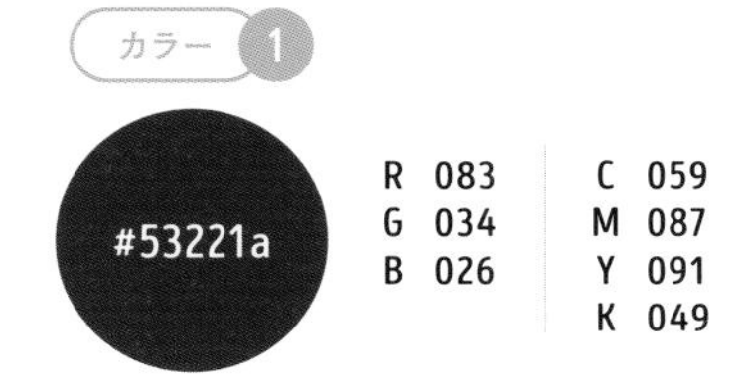

OKデザインのアレンジ

見出しをセンターに配置

OKデザインでは、背景の画像の人物が右にあったので、見出しを左側に置きました。これで全体のバランスがとれ、なおかつオシャレなデザインとなっています。このアレンジでは、見出しをセンターに配置することで、オシャレ感は下がりますが、見る人に確実に情報を伝えることができます。

見出しを半透明の丸背景に入れる

画像を背景にして直接文字を配置すると、視認性が下がる場合があります。そんなときは、透明度60くらいの白色の背景を敷いて、文字を読みやすくする方法があります。画像の効果は下がりますが、もっとも伝えたい文字情報を強調する効果が出ます。

画像をフレームに入れる

画像を全面に使わず、フレームに入れて使います。フレームにはぼかした色味を使ってニュアンスをつけています。

見出しと画像をずらして配置

他のデザインと少し趣向を変えて、見出しとなるテキストと画像をあえてずらして配置。画像が注目を集めやすい左上に配置されていることもあり、サロンのイメージを強くアピールできます。

バリエーション：Webサイト【トップページ】

フォント2 ポイント1 ポイント2

古沢テラス

まだ見ぬ景色に
出会う場所

ポイント3 フォント1

和風の宿泊施設サイトのトップページのデザインです。和風テイストのデザインでは、文字は縦書きが映えます。特に見出しの場合は、背景の画像に合わせて大きく配置すると効果的です。今回は、画像の上に黒い網かけ（黒色透明度44）を配置して、画像を少し暗く見せています。雰囲気が出るうえ、白抜き文字をしっかりと読ませる効果があります。

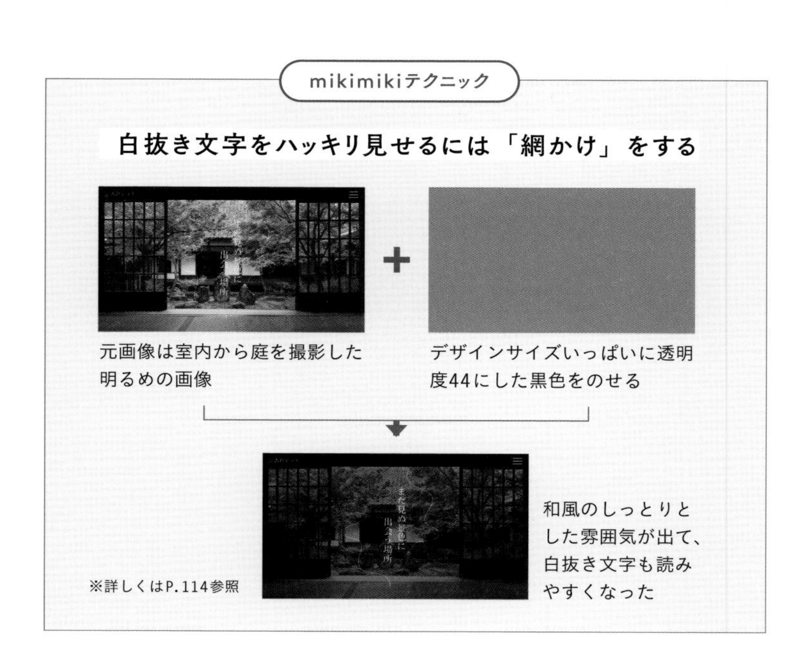

mikimikiテクニック

白抜き文字をハッキリ見せるには「網かけ」をする

元画像は室内から庭を撮影した明るめの画像

＋

デザインサイズいっぱいに透明度44にした黒色をのせる

和風のしっとりとした雰囲気が出て、白抜き文字も読みやすくなった

※詳しくはP.114参照

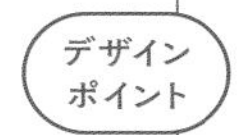

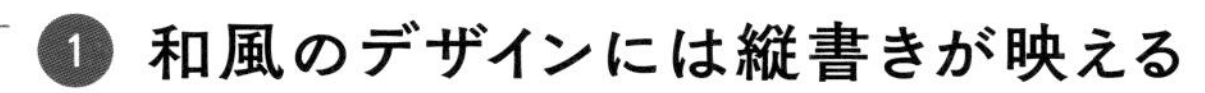

2 白抜き文字を見やすくすために網かけをする

3 デザインに合わせて流れるようなあしらいを使用

Font 使用フォント

フォント 1 ▶ モトヤ明朝w/Regular

春夏秋冬古今東西永遠
あいうえお1234567890

フォント 2 ▶ モトヤアラタ/Light

春夏秋冬古今東西永遠
あいうえお1234567890

Color 配色(画像)

カラー 1

#546a31

R	084	C	073
G	106	M	051
B	049	Y	099
		K	013

カラー 2

#87a44f

R	135	C	055
G	164	M	026
B	079	Y	082
		K	000

カラー 3

#615740

R	097	C	066
G	087	M	062
B	064	Y	078
		K	021

バリエーション：Webサイト【トップページ】

住宅メーカーのサイトのトップページのデザインです。最大のポイントは、欧文をあえて縦に配置したところ。ちょっとした違和感が、見る人にインパクトを与えます。配色は薄いベージュと黒の2色に絞ることで、統一感を出しています。

1. あえて欧文を縦に配置
2. 色味を黒×ベージュの2色に絞る

Font

▶ Source Han Sans JP/Heavy（欧文）

ABCDEFGHIJKL
abcdefghijkl 1234567890

▶ Source Han Sans JP/Heavy（和文）

春夏秋冬古今東西永遠
あいうえお1234567890

Color

#fffef9

R	255	C	000
G	254	M	001
B	249	Y	003
		K	000

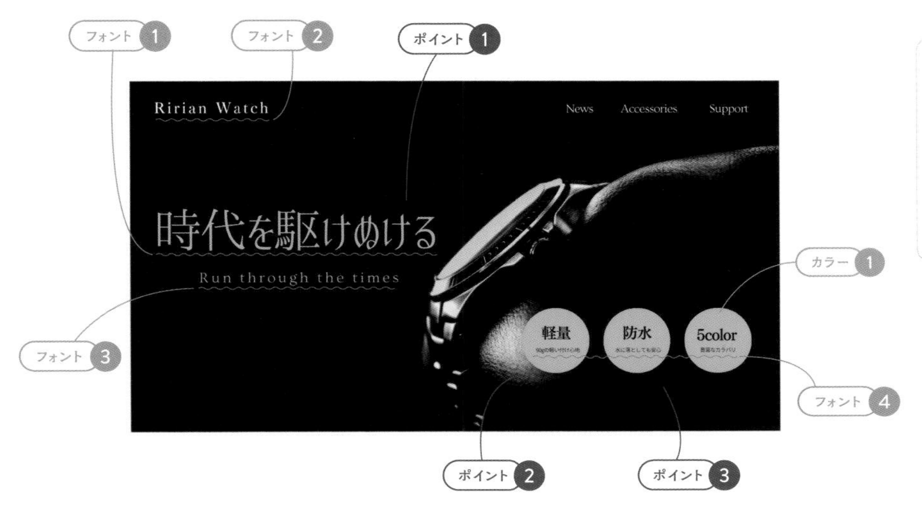

時計のサイトのトップページのデザインです。デザインのテーマに合わせた、特徴的なフォントをメインの文字に採用しています。黒の背景に対して、ビビッドな黄色を合わせて、コントラストが高いインパクトのあるデザインに仕上げています。

デザインポイント

1. デザインテーマにあったフォントを使用
2. コントラストが強めの配色
3. 要素をまとめて丸囲み内に

Font

フォント 1 ▶ 刻明朝
春夏秋冬古今東西永遠
あいうえお1234567890

フォント 2 ▶ 筑紫明朝/Bold
春夏秋冬古今東西永遠
あいうえお1234567890

フォント 3 ▶ Ovo
ABCDEFGHIJKL
abcdefghijkl 1234567890

フォント 4 ▶ Noto Sans JP /Light
春夏秋冬古今東西永遠
あいうえお1234567890

Color

R 224
G 221
B 046

C 021
M 009
Y 085
K 000

Column | Canvaテクニック

素材をグループ化する

一度、位置関係を整えた素材同士をグループ化すると、それらをまとめて移動させることができます。テキスト同士だけでなく、画像などを組み合わせることが可能です。

[Shift] ＋クリックでグループ化

[Shift]キーを押しながら、クリックしてグループ化したい素材を選択したら、[Ctrl]＋[G]（Macは[Command]＋[G]）でグループ化完了。

移動はガイド線を参考に

移動はガイド線を参考に

グループはまとめて移動できる

グループ化した素材は、クリックして選択してドラッグすれば、まとめて移動させることができる。

テキストだけでなく、画像や吹き出しなどの素材も一緒にグループ化できる。

[Ctrl] + [Z] で「操作の取り消し」

作業スピードが格段にアップする覚えておきたいショートカットキーです。[Ctrl] キーと [Z] を一緒に押すことで、直前に行った操作を取り消すことができます。間違ってしまった操作や、試してみたけどいまいちだった場合など、すぐに元の状態に戻せるのでとても便利です。

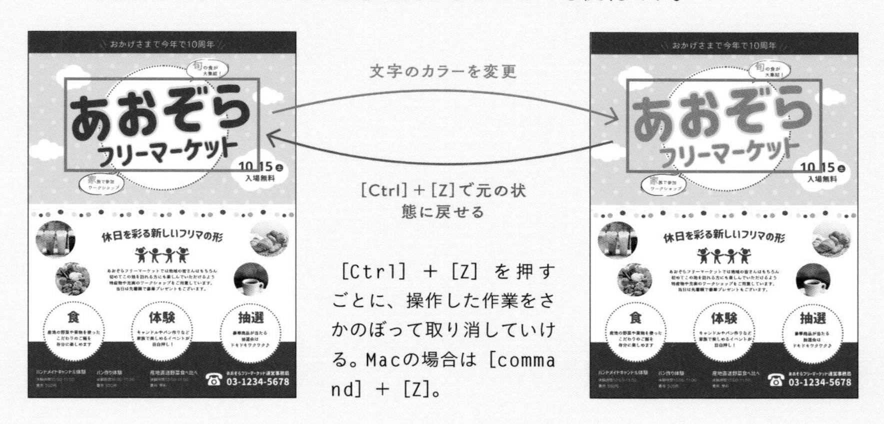

[Ctrl] + [Z] を押すごとに、操作した作業をさかのぼって取り消していける。Macの場合は [command] + [Z]。

カラーの情報を取得

テキストや画像のカラーの情報を見ることができます。写真の色の情報も表示されます。本書で紹介しているカラーコードを見ることもできます。

テキストの場合は選択して「A」を、画像などは「カラー」（虹色のアイコン）をクリックすると表示。

カラーコードを確認

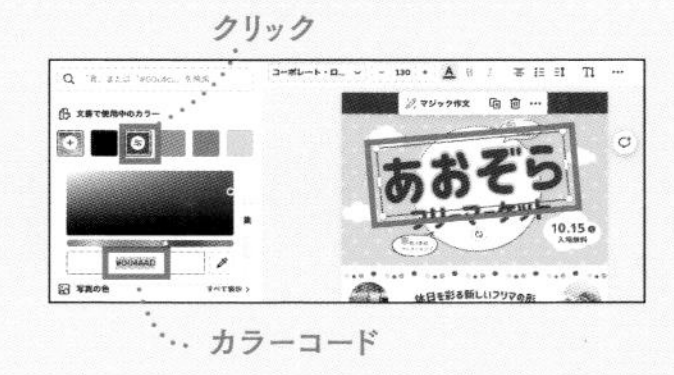

さらに、カラー部分をクリックすると、カラーコードが表示される。ここにカラーコードを入力して、カラーを変えることが可能。

おわりに

いかがでしたか？
シーンに合わせたいろいろなデザインをご紹介しましたが、
作りたいイメージを形にできましたか？

Canvaは、使えば使うほど
デザインの表現の幅が広がります。

お気に入りのテンプレートを探しながら、
自分のテイストを表現できるようになると、
デザインが楽しくなっていきます。

ゼロからのデザインにチャレンジしていくと
デザインの難しさに気付くことでしょう。

ポイントや法則を覚えて活用していくことで、
デザインの技術やセンスはどんどん向上していきます。

本書でご紹介した内容を、
部分的にでも参考にしていただけるとうれしいです。

これからも、あなただけのデザインを
作っていってくださいね。

Canva Experts
mikimiki（扇田美紀）

著者紹介

mikimiki web スクール（扇田 美紀）

日本初のCanva Experts。ECサイト勤務を経てフリーランスのデザイナーとして独立。その後2020年にSNSマーケティング、Canva導入支援、AIコンサルティングを行う株式会社Ririan&Co.を起業。AI、Canva、最新テックに特化したYouTubeチャンネル「mikimiki web スクール」の運営を行い、チャンネル登録者数は20万人を超える。Canva、ChatGPT、Midjourney等生成AIの講演、取材など多数。

●著書

『新世代Illustrator 超入門』『Canvaデザイン入門』（ソシム）『Midjourneyのきほん』（インプレス）『フォロワーが増える！ Instagramコンテンツ制作・運用の教科書』（秀和システム）など。

Instagram @mikimiki1021
YouTube @mikimikiweb
X（旧Twitter） @Mikimiki10211

STAFF

デザイン　吉村亮　大橋千恵（Yoshi-des.）
DTP　三光デジプロ
校正　夢の本棚社、小山愛
カバー素材　FUTO/PIXTA（ピクスタ）
編集　小林謙一

はじめてのCanva（キャンバ）

マネするだけでプロっぽくなるデザインのルール

2024年3月13日　初版発行

著者／mikimiki web（ミキミキ ウェブ） スクール

発行者／山下　直久

発行／株式会社KADOKAWA
〒102-8177　東京都千代田区富士見2-13-3
電話　0570-002-301（ナビダイヤル）

印刷所／大日本印刷株式会社

製本所／大日本印刷株式会社

●お問い合わせ
https://www.kadokawa.co.jp/（「お問い合わせ」へお進みください）
※内容によっては、お答えできない場合があります。
※サポートは日本国内のみとさせていただきます。
※Japanese text only

定価はカバーに表示してあります。

ISBN 978-4-04-606757-9 C0055